JN072962

サンダーバード プラモ伝説

1966↔2021

柿沼秀樹 著

ホビージャパン

1968年発売の今井科学「サンダーバード秘密基地」は、当時としては2,200円という超高額プラモ。箱も当時としては最大で長辺690㎜もあり、子供には持ちきれない大きさだった。

今日テレビで見たヒーローが
翌日すぐそばの文具店で売っている、
という幸せ。

昭和30年代、庶民の所得が向上して行くのに即し、子供たちの間にもメンコやコマなどの素朴な玩具ばかりでなく、ある程度高額な玩具等が普及するようになり、またテレビという公共性の高い媒体から人気番組が登場するようになると、それらに関したキャラクター商品が、時を置かずに流通するようになった。そしてこの“テレビや漫画の人気者を商品にする”という新しい業態を制した者が時代の覇者となる時代が到来したのだ。

1966（昭和41）年に放送を開始した『ウルトラQ』『ウルトラマン』『サンダーバード』といった人気番組は、高い視聴率を記録し、関連キャラクター商品は社会現象といわれるほど人気を博した。それらを生産するメーカーたちは、『次に何が流行るか』を注視し、そしてそれらを射止めた玩具・プラモメーカーたちは巨額の売り上げを計上するに至った。まさにその渦中に飲み込まれたユーザーが、昭和30～40年代生まれの我々だった。

「今日テレビで見たヒーローが、翌日すぐそばの文具店で売っている、という幸せ」は紛れもなく当時キャラクター玩具やプラモデルに熱中していた少年たちには共通の体験だ。要するにテレビで一世を風靡した番組を見た子供たちが、興奮冷めやらぬままに近所の文具店や玩具店に足を運べば、そこにはウルトラマンやサンダーバード関連の文具や玩具、プラモデルが沢山売っていた、という状況を表現したものだ。玩具やプラモなどホビーに類する商品を総称して『マーチャンダイズ商品』などと言うが、それは「どうやってニーズを作りだし購買意欲を掻き立て、そこへ適切な質の商品を適切な量、訴求し収益を上げるか」という言わば「商品化計画」全体を指し示す言葉で、企画書やプレゼンテーションなどの段階では、同時に“座組”と俗称される出資や業務の分担を話し合う所から計画が始まる。つまり今ではテレビ番組やコンテンツを展開する以前からさまざまな種類の商品を企画し、市場に放つ仕掛けを計画するのは当然となっているが、『ウルトラマン』や『サンダーバード』が登場する以前にあっては必ずしもそうではなかった。英国製SF人形劇『サンダーバード』は、たまたま初放送が民放ではなかったため、スポンサーに該当する出資主は存在せず、そのプラモ化の権利を得たのは、今井科学というプラモメーカーであり、また同時代の円谷プロの『ウルトラQ』『ウルトラマン』に関しては、スポンサーは製薬会社であり、商品化はマルサン商会が行い、当初はそこに登場する“怪獣”なる得体のしれないアイテムが、まさか社会現象となるほど売れるとは誰も思っていなかった。怪獣のソフビフィギュアは初回生産分はなんと**1種類に付き600個**であったというから、まさに試しに生産してみた、という程度の数である。しかしこの両コンテンツは爆発的に人気を呼んだ。一方の『サンダーバード』は静岡のプラモデルメーカー今井科学が生産したが、初年度だけで26億円の売り上げを計上している。大卒初任給が2.6万円の時代である。しかしこのブームを呼んだキャラクタープラモデルの両巨頭は、ブームの終焉とともに1968、1969年に相次いで倒産している。当時はプラモデルに関してのみ言えば、「スケールモデル」と言われる実機や実車を一定の縮尺に縮小したプラモデルが主流の時代に、未来の架空のメカや、怪獣などを、どしどし間断なく生産するこの両社は異端であった。原則、スケールモデルには版権やライセンサーは存在せず、博物館で取材し、あるいは資料を基にプラモデル化するには、権利の許諾は必要なかったが、キャラクターモノは話が違う。ライセンサーの要求するライセンス料を支払い、ライセンサーの定めた規範に沿い、番組やコンテンツの人気の持続中に生産、流通し、元を取り利益を出さなくてはならず、それもすべてが予測通り進行するわけではない。『ウルトラマン』や『サンダーバード』の玩具・プラモデルはそのようなキャラクター・マーチャンダイズの草創期の成功例であり、そして奇しくもここに取り上げたコンテンツたちは現在もなお現在進行形の人気コンテンツとして新商品を生み出し続けている。その起点となった半世紀以上の過去の興奮を、振り返ってみよう。

CONTENTS

※本文中、プラモメーカーである今井科学株式会社の社名を、1959年の発足から1969年の倒産までを『イマイ』、1971年に再起して以降を『再生イマイ』と簡略化して表記している。

Chapter 0

1959年 →

イマイの誕生
キャラクタープラモデルの勃興

1959（昭和34）年12月
プラモメーカー・今井科学設立

木製模型時代のヒット商品は『東京タワー』。

木製模型時代のヒットアイテム『1/500東京タワー』

プラモデルメーカー今井科学の前身である『今井商店』は、戦後間もない1948（昭和23）年、今井英一・創業社長によって木製模型教材の販売店として静岡県・清水市でスタートした。

後にプラモデルメーカーとしてさまざまなヒット商品を生み出すイマイだが、すでにその片鱗を見せる。1957（昭和32）年の※『科学工作教材・縮尺1/500・東京テレビ塔模型・東京タワー』がそれだ。当時のライトプレーンのスタンダートサイズの袋入りで90円。木製の板と細かい角材、図面が同梱されているだけだったが、東京タワー完成の一年も前に発売したことなどが功を奏しヒット商品となった。

終戦時に焼け野原となり、まだ高層ビルもない東京に出現した300mを超す巨大建造物は、日本復興の象徴でもあった。そんな注目を集めた存在を模型にしたアイデア勝負の一品だったと言える。

模型メーカーはプラモメーカーへと転身！

木片からパーツの形状を削り出した木製模型

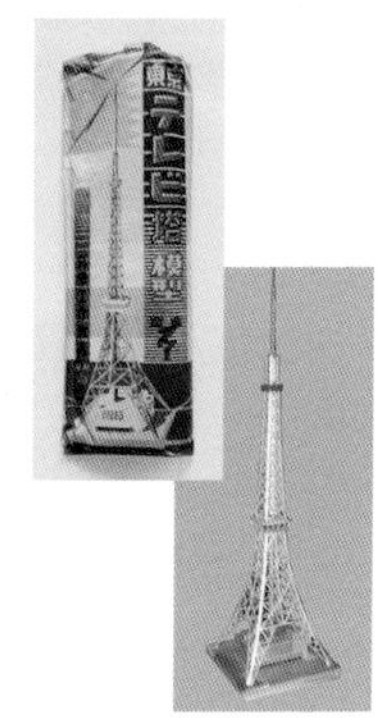

1957年
今井商店『科学工作教材・1/500東京テレビ塔・東京タワー』

今井商店がIMSのブランド名で発売した木製模型「1/500東京テレビ塔・東京タワー」。1/500の図面と木材が同梱されており、ほぼフルスクラッチに近い。ライトプレーンと同じサイズの袋に入って90円だった。後に1/300も販売した。

は、組み立てる段階に置いて図面に合わせてパーツ自体を削るなどの再加工を要したのに対し、欧米からやって来た新しいホビーであるスチロール製の模型、いわゆる『プラモデル』は、金型にスチロール樹脂を高圧で射出、成型する方式で生産される、まったく新しいタイプのホビーだった。最初に持ち込まれたのは、占領軍(GHQ)によってだと言われている。

プラモデルを初めて見た業界関係者たちは、一様にその精度に驚き、日本の模型、玩具メーカーも50年代終盤から、欧米のそれらを見よう見まねでプラモデルの生産を開始する。

また東京・駒形の玩具メーカー・マルサン商会(以降マルサン)は、米国レベル社の日本代理店となり『マルサン/ラベール』の商標でプラモ先進国の代表メーカーであるレベル社のプラモを国内に流通した。

これを受けて木製の戦艦大和を作っていた田宮模型(現タミヤ)も、木製の東京タワーを作っていたイマイも、時代を追いかけ、プラモデルメーカーへと転身していく。

1959(昭和34)年、プラモデルを生産することを目的とした『今井科学株式会社』が設立されたのは、戦後二番目の好景気とされる"岩戸景気"の只中だった。設立当初は1/700の小スケールの戦艦などを生産していたが、イマイが目を付けたのは、子供たちが熱中する、人気漫画のプラモデル化という新しいジャンルだった。

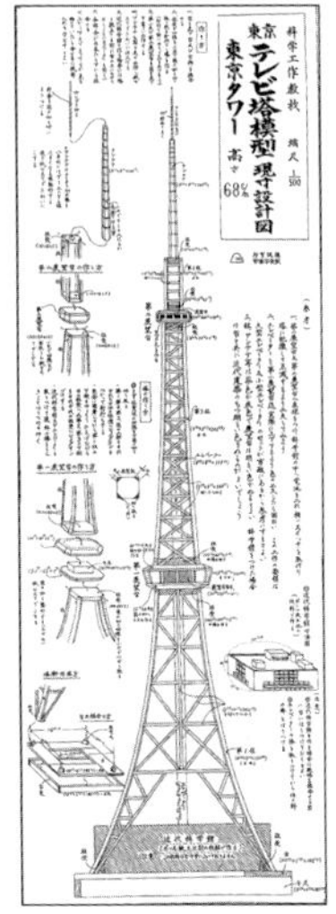

同梱されている1/500原寸図面を基に木片パーツを組み立てていくという手間のかかるもの。中央の"近代科学館"ビルは何とパーツ自体付属しておらず自作しなくてはならなかった。

1956年 – 鉄人

日本初の“キャラクター・プラモデル”登場。

言わずと知れた後の“巨大ロボットもの”の元祖。横山光輝による『鉄人28号』は、1956（昭和31）年、月刊『少年』誌で連載が開始。1959（昭和34）年にはラジオドラマ化、翌1960（昭和35）年には実写テレビドラマ（全13話）が放送されると、イマイは早くもプラモ化権を取得し11月に『ロボット鉄人28号』を発売。これが本邦初の“キャラクター・プラモデル”、つまり漫画やアニメ作品などの架空のキャラクターのライセンスを取得してプラモ化した最初だと言われている。漫画雑誌の広告には、“鉄人プラモが300万個突破”との文字が躍った。今となっては確認する術はないが事実なら桁外れの超大ヒット商品だ。

しかし大人気だったのは事実で、正月三が日は運送会社が休業であったため、イマイの社員がトラックで初荷ののぼりを立て、日光のいろは坂を超え、東京は蔵前の模型問屋までピストン輸送したそうだ。そして1963（昭和38）年に江崎グリコ・グリコ乳業の提供によりテレビアニメ化されると大ブレーク、イマイも1964（昭和39）年の再再販パッケージから横山光輝のイラストを使用する。イマイとしては「当時、類似品が他に無かったためヒットしたのだろう」と冷静な見解を述べている。イマイはこうして人気連載をプラモ化し、同時に漫画誌に出稿する広告主ともなっていく。

1960（昭和35）年
「ロボット 鉄人28号」
（モーター別380円）

初版は古式騒然としたイメージで箱の長辺290㎜。イマイの丸ロゴは一番古いタイプ。最初のヒットがロボットであったのが、後のイマイの方向性を決定付けたのかも知れない。

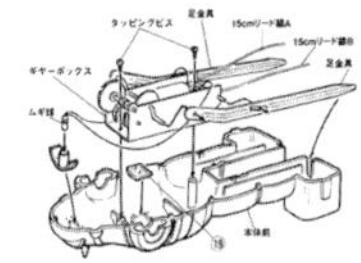

鉄人の歩く機構。二つの金属ピンがピストン運動して体を前へ進めた。大きな足が電池ボックス。

目が光るマメ球追加版が筆者が買った一番古いプラモ。この金型は後にバンダイへ移籍し70年代に再販される。

1964年－イマイ『ロボット・シリーズ』

子供の夢を具現化した、動くロボット・プラモデルの進撃開始!!

人気漫画の『鉄人28号』が大ヒットとなったため、イマイはロボットをテーマのひとつとしてシリーズ化して行く。1963（昭和38）年には大型のオリジナル・ロボット『ロボット サンダーボーイ』を発売。オリジナルとは書いたが、元ネタがあり、アメリカのリモコントイを参考にしている。思い切った1,500円という価格は、当時、40円、50円のプラモも存在する中、市場での最高価格で、子供には到底手が出せないアイテムだった。左右へ旋廻し、腕を回して弾を投げる。頭部からミサイル発射などがリモコンで操作できるなど、組み立てる玩具としてのアクションが満載で、要するに兵器の集合体のイメージだ。

翌年『ロボットシリーズ』の第一弾として、商品名を『ビッグサンダー』と改めて再販し、シリーズNo.2として『鉄人28号』（350円）を編入。No.3は手塚治虫の『鉄腕アトム』リモコン仕様（400円）、No.4は『鉄人28号』リモコン仕様（450円）。No.5ビッグサンダーの小型廉価版『ベビーサンダーボーイ』（250円）、No.6はオリジナルの『キャプテンパトロール』（550円）、No.7は手塚治虫の『ビッグX』に登場する量産型敵ロボット『V3号』、No.8は『スペースパトロールロボット』250円。そしてシリーズはNo.13まで続くことになる。

1964（昭和39）年
今井科学（動く）ロボットシリーズNo.1
「ビッグサンダー」（リモコン・モーター）1,500円

1963（昭和38）年に『ロボットサンダーボーイ』として発売したものを翌年シリーズの第一弾として再販した伝説のプラモ。大卒初任給が19,400円の時代だった。

1964（昭和39）年
今井科学
ロボットシリーズNo.6
『キャプテンパトロール』
（リモコン・モーター）
550円

ボディ全体をクリアー成型とし内部のギヤ機構を見せる斬新な設計。完成全高200mm。

イマイの躍進

サブマリン707・シリーズ
艦首プロペラで航行する、
作中そのままの潜水艦が大ヒット

業界に新風!! 冬でも売れる漫画から抜け出した“水モノ”登場。

小沢さとるによる『サブマリン707』は、※『週刊少年サンデー』に1963（昭和38）年から連載された海洋冒険漫画だ。自身を「漫画家になれなかった漫画家」と公言する小沢は経歴も特殊で、父の小澤次郎は商工技官として零戦の開発に携わっていたことから、幼い時からドイツ式スケッチを学んで育ち、航空機や潜水艦の技術面に精通していた。707の、水中を自在に飛ぶホーミング魚雷の描写や、艦首をクローズアップで描く手法などは、後の漫画やアニメに多大な影響を与えている。

連載漫画の版権管理は出版社が行うのが常だが、この作品に目を止めた今井社長は、出版社を通さず作者の小沢さとる本人の元に日参し、直接契約を取り付けた。これにより小沢さとる本人にのみ使用料を支払えば契約が済むため、必然的に利益率は向上するというわけだ。

プラモデル開発に際し、技術者肌の小沢は、自ら試験航行用の小型プールを作り、図面を描き試作品を作って試験航行を繰り返すなど、情熱的に取り組んだ結果、“水モノ”と俗称され「夏

広告のスチール

少年誌への出稿のために撮影されたポジフィルムが残されている。裏表紙一面を使用したイメージ広告として使用。発売時期の1965（昭和40）年2月の寒い時期の広告だが、あえて氷を使った演出だった。

上／1965年『サブマリン707・Aクラス』50円。ゴム動力潜航。開発当初、予算不足のため、プラモデルのパッケージ画も小沢さとる本人が描くこととなった。箱長辺は180㎜。下／『ジュニア707・Aクラス』50円。とにかく売れた人気プラモ。船体下の金属は重り。箱長辺は180㎜に統一されていた。

1959 ⟷ 1965

しか売れない」と言われていた潜水艦プラモでありながら、、707はその知名度と、50円という安価な価格、そして何よりも劇中のそれと同じ構造を再現した商品のバリューは高く、2月という肌寒い季節にも関わらず、たちまち人気を博すこととなった。

707・シリーズ好調で 毎月300万円が作者のもとに…

707シリーズはそれまでのイマイのどの商品よりも足早に店頭から消えていった。ジュニア艇は艦首のスクリューで航行する特異な仕掛けを、作中そのままに再現し、安価だがプレイバリューは高かった。

生産が追い付かず、成型工場を24時間操業したため、近隣住民からの苦情が相次ぎ、遠く、東北地方の成型工場にまで生産を依頼したという。イマイと作者との直接契約であったこともあり、二十を超えたばかりの小沢さとるには、月額300万円もの版権料が支払われたとも言われ、その爆発的売れ行きが想像できる。大卒公務員の初任給が２万3千円の時代である。

このときイマイはすでに200点近い商品を生産していたが大半がスケールモデルだった。が、同時に“マスコットシリーズ”というキャラクター・フィギュアも展開。『0戦はやと』『伊賀の影丸』『鉄腕アトム』『狼少年ケン』『エイトマン』『ビッグX』『風のフジ丸』『おそ松くん』『魔法使いサリー』などなど、手塚治虫、横山光輝、赤塚不二夫といった昭和の大家たちの人気漫画は、ほとんどすべて

※『週刊少年サンデー』
1963（昭和38）年から1965（昭和40）年まで連載された『サブマリン707』。たびたびアイドルが表紙を飾る令和現在のイメージからは考えられない。右上に11月からテレビ放送と書かれているがこれは勇み足で果たされなかった。

てイマイが一手に引き受けていた。

乗り物でもヒットする…
と言う実感がサンダーバードへ

　マスコットシリーズは50円の廉価版が中心であったため、壊れたり無くしたりすれば、子供たちは気に入ったキャラクターを複数回買うこともあった。よく売れるのでひとつの金型に4体分の型が彫られていた。イマイは、このように漫画やTVアニメの人気者を間断なく生産したため、『マンガ模型のイマイ』と揶揄されてしまう。“マンガ”の社会的地位は、今日とは比べようもないほど低かったため、流行廃れのあるマンガを追いかけてばかりいる、というつまり誹りである。しかしイマイは少年漫画誌に出稿している広告主であったため、次にどんな連載が予定されているのか、年間予定として動向を把握していた。

　707は従来のキャラクター・フィギュアのそれ等とは桁の違うヒットとなり、イマイを誰もが知るプラモメーカーへと押し上げげた。

　また707にはそれまでイマイが扱って来た多くの漫画のキャラクターたちとの決定的な違いがあった。それは、707は乗り物メカ、つまりは『ビークルメカ』であったことだ。そしてイマイは乗り物メカでもヒットするのだ！　という認識をこの707で得たと、当時の開発部長は後年のインタビューにて、語っている。この※メカでも行ける！　とする認識が直後の『サンダーバード』のプラモ化へと繋がっていくことになる。

※メカでも行ける！
　イマイは初期から人気漫画のキャラクターのライセンスを取得し、果敢にマンガ模型を作って来たが、創世期でヒットした鉄人、続くマスコットシリーズの『鉄腕アトム』『エイトマン』などは人型のロボットだった。そういう意味で“架空の（SF的）ビークル”としてヒットした707は、新しいカテゴリーと言える。サンダーバード研究家・伊藤秀明のインタビューにイマイの開発担当者は「707のような乗り物メカでもヒットは生まれる」と認識した、と答えている。

1959
1965

Chapter 1

1966年→

サンダーバードプラモデルの始まり
イマイとバンダイの共闘

サンダーバード・金型の流れ

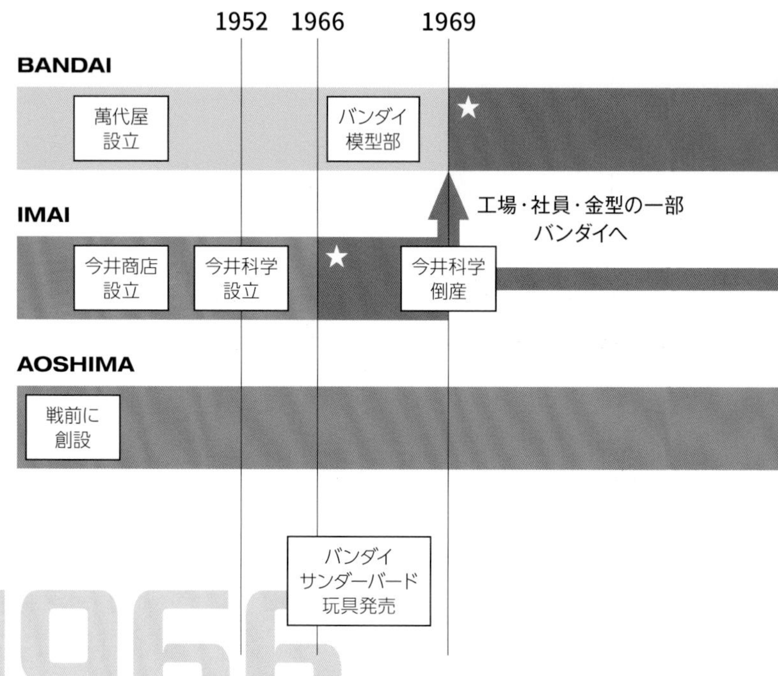

1966（昭和41）年にサンダーバード・プラモデルが今井科学によって初めて発売された。TVの影響力は絶大で再放送と相まって大ヒットとなり26臆円の売り上げを計上した。共闘したバンダイはまだ玩具メーカーであり、同時展開したバンダイのサンダーバード玩具も大ヒットとなった。だがサンダーバードプラモ・ブームの終焉直後イマイの倒産を受けてバンダイはバンダイ模型を設立。サンダーバードを始めとする多くの人気商品の金型を買い入れ、それらは発足当初の主力商品となった。しかし

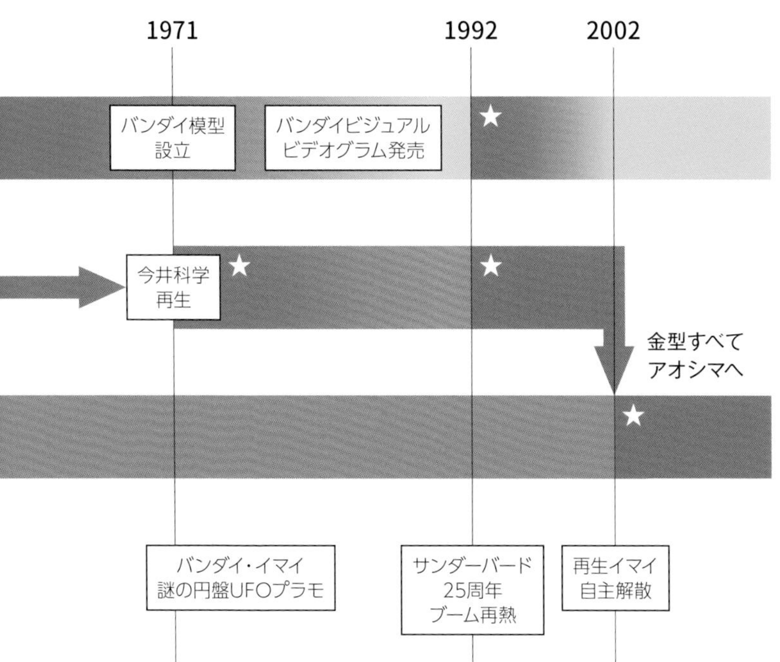

イマイの再興は早く1971（昭和46）年には再生イマイとして再び活動を開始し、残された金型でサンダーバードを生産した。イマイはその後もことあるごとにサンダーバードの生産を続けたが、1992（平成4）年の25周年のブーム再燃時には再びバンダイもサンダーバードを生産。そして2002（平成14）年イマイの自主解散時にイマイの保有していた大半の金型は同じ静岡の盟友、青島文化教材社に受け継がれた。そし2022（令和4）年現在もアオシマによりサンダーバードプラモは市場に流通しているのだ。

1966年－
時代を捉えたイマイの「宇宙科学シリーズ」登場！

1966年
イマイ 宇宙科学シリーズNo.1
●「ジェミニ・セブン」電池別・600円

一人乗りだったマーキュリー計画に次ぎ、二人乗り宇宙カプセルを打ち上げたのが、双子を意味する「ジェミニ計画」だった。1965年6月、ホワイト空軍少佐が，アメリカ人としては初めて20分間、カプセルの外に出て船外活動のテスト、すなわち宇宙遊泳に成功した。高荷義之の迫真のボックスアートは、今見ても鮮烈な構図とディテールで圧倒される。

▼マメ球が点灯し、カプセルが分離、先端を押すと宇宙飛行士が船外に出て来るアクション付き。スタンドには温度計。

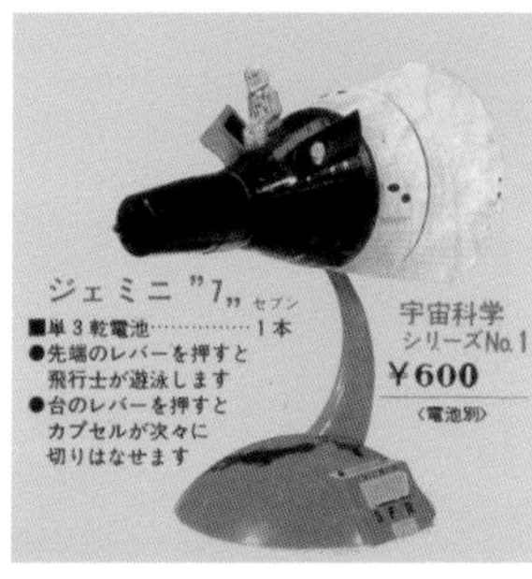

▶サンダーバード5号まで出そろった時点でのカタログ。下左から二番目が宇宙科学シリーズNo.2「ホバークラフト ジュピター」1500円。宇宙科学シリーズNo.3がサンダーバード2号だった。

イマイ 宇宙科学シリーズNo.3
●「サンダーバード2号」
ゼンマイ・250円

1966（昭和41）年の年末発売された最初のサンダーバードプラモ。サンダーバードシリーズはこの2号の宇宙科学シリーズNo.3からNo.30まで続き、31からはサンダーバード・シリーズとシリーズ名を改訂し、No.37まで続くが、サンダーバードにはパノラマシリーズと言うものもあり、当時ひとつのコンテンツを対象にしたプラモでここまで続いたものはない。

最初のサンダーバード2号は宇宙科学シリーズの第三弾だった。

当時は『宇宙時代』と言われた。そして『科学の時代』とも言われた。アニメや特撮に目を向ければ『鉄腕アトム』は“科学の子”と謳い、視聴率40%をたたき出した『ウルトラマン』は“空想科学シリーズ”だった。それは、科学の力によって遂に人類は宇宙にまで達したと言う自負と同時に、ふたつの超大国、アメリカ合衆国とソビエト連邦が宇宙への進出に火花を散らしていた時代であったからだ。米国の「ジェミニ計画」とそれに続く「アポロ計画」は、当時の日本の国家予算に匹敵する資金を投入した、全人類が注目する一大国家プロジェクトだった。敵対するソ連とどちらが先に宇宙に進出し、どちらが先に月に降り立つのかを競い合ったのだ。それは核弾頭を搭載したICBM（大陸間弾道弾）が新しい戦争の手段となり、宇宙ロケットの技術はそのままICBMに転用できるからだ。両国は、科学的技術の優位を確保するためにも、そして国威発揚のためにも、総力を挙げてロケットを開発し、アポロ計画は1961年から1972年まで継続された。

そんな時代に今井科学が展開したのが「イマイ 宇宙科学シリーズ」だ。そのテーマに『サンダーバード』はピタリとマッチしていた。イマイは1966（昭和41）年にNo.1として「ジェミニ・セブン」、No.2「ホーバークラフト ジュピター」、No.3として「サンダーバード2号」を発売した。

1966年12月 - イマイ 宇宙科学シリーズ No.3

みんな『サンダーバード』をモノクロで観た?!

『サンダーバード』の初放送はNHK総合テレビによって1966（昭和41）年4月10日～1967（昭和42）年4月2日まで日曜の夕方6時からというゴールデンタイムだった。イマイは放送開始の直後の5月には、プラモデル化のライセンスを取得し、製品企画に入っている。6月には2号、5号、3号の図面も完成していた、という素早さだ。この英国製SF人形劇は非常に高く評価されて※NHKが破格の金額で買ったと言われている。

またライセンサーにしてみれば、ライセンスを許諾するメーカーは、どこでもいいわけではない。しかしイマイには『007』『バットマン』などの海外のライセンサーとの契約経験があったことが実績と認められたのかもしれない。この時点で日本での代理店は※日報/朝日プロモーションという窓口で、最初のサンダーバード・プラモの箱には朝日プロモーションを示す©A.P.Fとの表記がある。

その後は東北新社が代理店となり、現在に至るまでサンダーバードの国内版権のハンドリングを行っている。

当時は英国のライセンサーとのやり取りも、国際電話を申し込んだところでいつ繋がるか分からなく、繋がったところで音声が聞き取りにくく、大変不便だったという。そのような状況下で、日本にはプラモデルの製作のための※有用な

※NHKが破格の金額で買った

東北新社、故・植村伴次郎社長は、当時のことを質問されたインタビューに置いて、NHKはサンダーバードを大変気に入り破格の価格で購入したため、東北新社は英国に出向いた際、英国ライセンサーITCに歓待されたとしている。

※日報/朝日プロモーション

東北新社以前のサンダーバード版権窓口。新橋にあり、当時ここが商品ひとつづつに貼る"証紙"を発券していたため、イマイの担当者は、直接出向き、証紙を受け取っていた。

1966 2021

資料などはなく、そこでイマイは社員総出でテレビ画面をカメラで撮影し、資料としたと言う。

テレビの普及率は1966年段階で94%程度であったが、カラーテレビとなるとわずか0.3%だと言われている。つまりカラーで放送されてはいたが、多くの視聴者はモノクロで視聴したことになる。しかも14型と呼ばれていた小さなブラウン管が主流で、走査線の数は※わずか480本程度だったため、サンダーバードは人形を使っているのは判るが、操っているワイヤーが見えず、どうやって操作しているのか分らない、との声が残っている。つまり小さな画面から得られる情報には限りがあるといことで、当時のプラモデル開発者たちの苦労が偲ばれる。

最初のサンダーバードプラモ登場

資料の無い中、商品化は進められたが、全体の造形はともかく、当初のイマイのサンダーバードプラモたちは、総じてスマートで角ばっていたイメージが拭えない。特にサンダーバード2号や同4号の持つ有機的曲面の再現は難しく、これはテレビからの複写というプロセスで、※微妙な“R”が見落とされていたためだろう。初期商品のサンダーバード2号は特にスマートでエッジがシャープで、その後に価格や大きさ違いのサンダーバード2号がリリースされるごとに、微妙に形が違っていた。これは開発担当者によると「わざと変えたわけではなく、後になって資料が入ってきたため」としている。

※有用な資料
プラモの製作には6面の図面が必要だが、作中で全面が明らかになるわけではない。終始片面しか映らないメカも多くジェットモグラなどは右半面は一度も映らず、マーキングなども施されていなかった。写真は右が見えるほぼ唯一のスチール。

※わずか480本程度
14型は309×174㎜程度の小さい画面で、その画面中の横じまの本数（走査線数）で垂直解像度が決まった。

※微妙な“R”
特にサンダーバード4号は撮影用モデルのサイズにもよるが、全体が曲面で構成されており、船底を除いて平面は存在しない。残念ながらそのような情報は当時のモノクロ・ブラウン管からは得られずプラモデルには反映されなかった。

●『サンダーバード2号』(ゼンマイ・250円)

▲二版目というか第二の箱として登場した小松崎茂のボックスアート。第一話のクライマックス・シーンを描き込んだ印象的なもの。パッケージデザインは今後、ほぼこのパターンで続いていく。大半の視聴者はモノクロTVで視聴していたためこの箱絵はサンダーバード2号の色が判る貴重な資料でもあった。

▼イマイマークがデカい初版。パッケージデザインもだいぶ異なり、どちらかというとテクニカルイラスト調? スコットの顔に隠れているがそこにはトレーシー邸が描かれていた。

全体のボディカラーはダークグリーン、着陸脚と噴射ノズルが赤、転写マークは白一色だった。

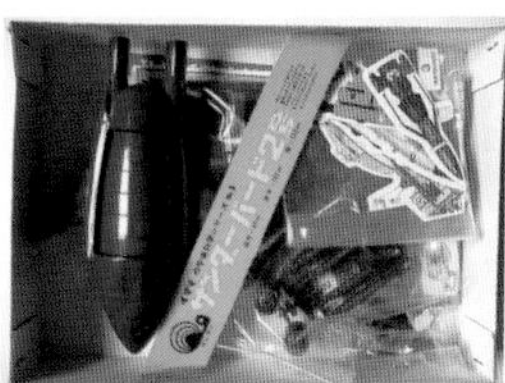

▲コンパクトにまとまったアッセンブル。パーツ押さえのためのタスキがあった。このキットではコンテナがすでに機体にはめ込まれていた。

▼組み立て説明図以外にサンダーバード2号の透視図と同1号~5号のキリヌキが付属。赤い小さな紙はパーツの欠損がないか検査した証紙。チューブ入り接着剤付き。

▼第二版目は総じて成型色が濃い? コンテナが取り外せ、赤いアンテナ脚は後方へ折りたためた。エレベーターカー3台が付属。

▲初版時の素組み。機体色の難しいグリーンをそれでもよく再現している。転写マークは白一色。機体全体がかなりスマート。

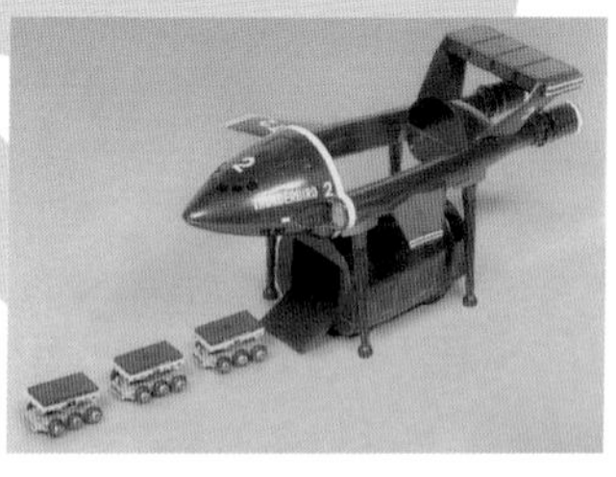

最初のサンダーバード2号は完成全長182㎜で、ゼンマイ走行し、作中同様にコンテナの換装が可能。コンテナの中には第一話で活躍した高速エレベーターカーのミニモデルが3両付属していた。着陸脚は機体と水平に折りたたみが可能で、組立図以外に透視図解が同梱されており、250円という価格からすると、同時代のマルサン商会の『ウルトラマン』や『ウルトラセブン』のメカなどと比べても、イマイ製品のプレイバリューは高かったと言えるだろう。

当時のSF系プラモは、地上走行がスタンダードで、それは組み立てる玩具としての一面であった。しかしサンダーバード2号は、作中でも格納庫からカタパルトまでタキシング(航空機などが自力で走行すること)するので、※コンテナ下面のタイヤにて走行しても、さほど違和感はなかった。初版箱は小松崎茂門下の伊藤展安によるイラストであったが、年が明けてから発売された第二版は、師匠である小松崎茂の登板となってさらに製品のバリューは高まった。

サンダーバードは小松崎先生しかいない

イマイがプラモデルメーカーとして再始動したように、多くのメーカーが、プラモデルメーカーへと転身した。同じ静岡の田宮模型(以後タミヤと表記)も、時代に合わせてプラモデルの生産を開始した。しかし当時、金型は専門業者への発注で、大変高額であった。プラモデルという新しいジャンルへの転換は容易ではなく、会社の危

※コンテナの下面のタイヤ

サンダーバード2号のような航空機に自動車のようなタイヤが付いているのは不条理だが、実は撮影モデルも話数によっては、通常の“タイヤ”が取り付けられている場合もあった。

機的状況にあって、モーター走行の『パンター戦車』を企画したが、その際タミヤは社運を小松崎茂にかける決断をした。その経緯は『タミヤ模型の仕事』(田宮俊作/著 ネスコ/刊)に詳しい。

小松崎茂は戦中からのメカ描写に定評のある第一人者である。もし小松崎茂がボックスアートを手掛ければそれだけで話題になる。しかし当時、小松崎茂は雑誌の巻頭口絵や絵物語に定評があり、大手出版社が列を成す売れっ子だ。おいそれと依頼を受けてもらえるとも思えない。そこでタミヤは、会社を救ってほしい旨の心情を綴った手紙を、小松崎に送ったところ、快諾を受けることが出来、小松崎茂の絵がタミヤの戦車のパッケージを飾ることとなった。結果として『パンター戦車』はヒットし、以降もタミヤの戦車のパッケージを小松崎茂が担当することとなった。本格的画家がプラモデルのボックスアートを描いたのは、これが初めてだとも言われている。

しかしイマイのサンダーバード開発主任は、小松崎茂の空想兵器の描写にも可能性を感じていた。戦中、※国防雑誌『機械化』において、高速大量輸送機や光線兵器、陸上空母などの空想科学兵器を、自身で考案して発表していた連載が人気を博しており、それらはまさにサンダーバードの未来メカにも通じるものがあった。しかし当時を振り返り、開発担当者は「小松崎先生は(プラモの仕事としては)タミヤの仕事しかしないと聞いていた」と、言う。だがイマイの

※国防雑誌『機械化』

第二次大戦中に発行されていたB5サイズの月刊誌。科学技術、国防教育などの国策を担う目的で刊行されたが、終戦直前に空襲などの影響で休刊。巻頭カラーページの空想化学兵器を小松崎茂が描いていた。

また敵B-17が鹵獲された際、それが内地に搬入されると小松崎は取材を許され、そこで得た情報を基に詳細なB-17の透視図解を発表していた。

1966 2021

パッケージを描いていた小松崎茂門下の※高荷義之が、そんなことは無いはずだと、開発担当者とともに小松崎茂のアトリエのあった千葉県・柏に赴いたことが始まりだった。

開発担当者の思惑は当たり、戦車を描けばヨーロッパ戦線の様子を詳細に、『サンダーバード』のような空想科学メカを描けば、その風景までを見てきたように描写する小松崎茂の絵は、サンダーバードプラモに新しい、比類ない魅力を与えた。

しかしこれには続きがある。サンダーバード2号の原画が仕上がった際、東京営業所の社員がそれを回収し、イマイ静岡本社へと向かった。しかしアルコールが入っていたのか、車中で寝込んでしまい、なんとその原画を紛失してしまったのだ。

取り返しの付かない大失態に、担当部長が出向くこととなり、謝罪して描き直しを依頼するしかなかったが、その際にも流石に紛失したとは告げられず、「デザイン作業の過程でインクを零してしまった」との苦しい言い訳をせざるを得なかった。だが、「恐らく先生はすべて分かっておられた様子だった」と、担当者は振り返る。

こんな緑色のカエルみたいな飛行機は・・・売れない!

しかしサンダーバード2号発売直前に、試作品を問屋・流通筋に見せたところ、思わぬ酷評が返って来た。「こんな緑色のカエルみたいな飛行機が売れるものか!」と言うのだ。確かにサン

※高荷義之
言わずと知れたプラモデルなどのボックスアートの第一人者。写真は1965(昭和40)年のイマイ1/50爆撃機シリーズNo.1.『99式艦上爆撃機』。

ダーバード2号はずんぐりとしており、その機体には前後を付け間違えたような前進翼が付いていて、過去のどの航空機の系譜にも当てはまらない斬新な形をしていた。そしてその酷評には理由があった。

当時の最新の戦闘機は、と言えば航空自衛隊も採用を決定した※ロッキードF-104スターファイターである。ミサイルのような白銀に輝く機体を持った超音速戦闘機に申し訳程度のカミソリのような翼が付いている。

三菱重工が国内組み立てを請け負ったことから"三菱鉛筆"と言われるほどシャープで先鋭だった。当然プラモデルになっても大人気だ。これこそが未来の戦闘機だ。と言う認識からすれば確かにサンダーバード2号は本筋ではなく映るかもしれない。しかしそこがキャラクター・マーチャンダイズの妙である。

緊急事態となると、超音速で災害現場に重装備を空輸するサンダーバード2号は、新しいタイプのメカヒーローだった。もはや万策尽きたと思われたその時、災害現場に勇躍と飛来し、ジェットスラスターでヘリコプターのように滞空して救助活動を行うその姿は、未来の夢の航空機そのものだった。

開発担当者は静岡、清水、沼津界隈で子供たちを集めてリサーチを行い、その際、サンダーバード2号で嬉々として遊ぶ子供たちの姿を確認すると、絶対のヒットを確信した。

※ロッキードF-104
スターファイターと呼ばれた航空自衛隊仕様では、全体が無塗装で輝く銀色をしていたため、全パーツをメッキシルバーで加工したプラモが人気を呼んだ。その色といい形といいサンダーバード2号は対極に位置する航空機だ。

躍進する今井科学

1967（昭和42）年、当時のイマイの業績を記したパンフレットには次のようにある。

1958年、出回り始めたスチロール樹脂（プラスチック）を用いて戦艦のスケールモデル生産に成功。『鉄人28号』を商品化しマスコミ・キャラクターの先駆となった。

1959年12月。今井科学（株）を資本金100万円で設立。

1963年6月。清水市西久保に清水工場を新設。製造の強化を計る。

1965年2月。少年サンデー連載中の『サブマリン707』を商品化し業界のトップの地位を占める。

同11月、映画『007』の版権を取得、プラモ化する。

1966年1月。本社敷地内に技術研究所を設立。

同4月、東京営業所を開設し更に営業第二課を分離し今井商事（株）として独立。

6月、他社成型工場を合併し自社工場とする。

8月、資本を3,500万円に増資。

9月、ラジコンカーの生産開始。11月、海外視察を実行し輸出業務の本格始動を目指す。

12月、成型から梱包までを自動化した藤枝工場が完成。（同月サンダーバード2号のプラモを発売）。

1967年2月、ドイツ・ニュールンベルク国際玩具見本市に出品。4月、資本をさらに増資し6,000万円とする。

そして90人だった社員数は、この年の新規採用で一気に300人となった。これは1967（昭和42）年5月頃に、次年度の新規採用者に向けたパンフレットだったので、発展著しい部分のみが記載されているとしても、目を見張る急成長だ。売り上げは12億円に達しており、次年度の目標を大きく20億と見積もっていたが、なんとそれを超える26億円の売り上げを計上した。大卒初任給が26,200円の時代である。

社員の賞与は11ヵ月分ともいわれ、木型などを製作する外注関連業者の元には、外車のディーラーたちから「イマイの役員を紹介してくれ」との打診が相次いだと言われる。

急成長を始めた1966（昭和41）年、イマイに後に常務取締役となる荒田茂と、後にバンダイに移籍しガンプラの図面などを担当し、中でもザクの図面を多く手掛けたことから※「ザク松」と愛称されることとなる村松正敏が入社する。荒田は期せず宣伝課に配属されたが、後に希望して設計課に配属となった。

両名は同じ地元の工業高校出身だったが、昭和42年の新年が明けると母校の恩師から電話が入った。「生徒たちがどうしてもサンダーバード2号が入手できないと言っている。何とかならないか」という相談だった。イマイのおひざ元の静岡でもこの様相だ。そして年明けにはすでに品不足となっていたと言う。それはこれから巻き起こるブームの前兆だった。

また経済動向としては1965（昭和40）年から、戦後でも特筆すべき高景気と言われた※“いざな

※「ザク松」
イマイからバンダイ模型へ移行したスタッフのひとり。『サンダーバード』、『マイティジャック』、そして『機動戦士ガンダム』と、時代を代表する主要キャラクター・プラモデルの設計を担当し、勇退時にはホビージャパン誌に記事が掲載された。

※“いざなぎ景気”
1965（昭和40）年末～1970（昭和45）年まで続いた好景気。開闢以来の好景気という意味で創世神話の男神イザナギにちなんでいる。GNPは2倍以上となり自由世界第2位となった。消費すること自体がブームとなり、家庭用品の3大アイテム（自動車，カラーテレビ，クーラー）が新・三種の神器と言われた。

1966 ⇔ 2021

ぎ景気”が始まる。当時の『サンダーバード』やそれと並行してブームを呼んだ『ウルトラマン』関連のキャラクター商品が、大変売れたのは、まさにこの経済動向と無縁ではない。

◀1967（昭和42）年の総合カタログ表紙。時代を反映してまさに宇宙と科学、ジェミニカプセルとサンダーバード5号が飾る。

▼新規採用者に向けたとされるパンフレット。すでに『サブマリン707』に次いで『サンダーバード』も仕掛かっており、工場を始め施設の充実。そして社員の大量確保を急いでいた一番勢いのあった時代だ。このパンフレットでは、次年度の売り上げ目標を20臆円においているが、実際は26臆円の売り上げを計上する。当時は立派な社員寮も二棟あったという。

1967年2月－イマイ 宇宙科学シリーズ No.4

科学だ！未来だ！宇宙ステーションだ！
サンダーバード3号も付属だ！

●『宇宙ステーション サンダーバード5号 ドッキングセット』(サンダーバード3号入)

◀小松崎茂が一番最初に手掛けたのはサンダーバード2号よりもこのサンダーバード5号の箱絵だとされている。このシリーズはサンダーバード2号を描きこむように依頼されていたが、さすがに描いていない。イマイから主要なサンダーバードの金型を購入したバンダイ模型だが、このサンダーバード5号とサンダーバード3号だけは買い取っていない。

▲豪華感を出すため、ギヤなどの金属部品を窓の空いた内箱にアッセンブルしていた。このためだいぶ箱の大きさも増している。イマイは高額商品にはこのような演出をしていた。

▶船体がアイボリー、重力リングとパイプなどがマホガニー、スタンドがブルー、窓などのクリアーパーツがクリアーブルー。サンダーバード3号の機体がレッド、放熱フィンがライトブルーと、カラフルに成形されていた。

▶付属のサンダーバード3号は船底にフェライト磁石が取り付けられ、機首が取れて鉛筆立てになった。このあと50円で単体売りされる。気づきにくいがそのバージョンでは機首先端がシャープ化されていた。

◀1971(昭和46)年再販の再生イマイ版の時には、箱絵は新調され、今度は2号が描きこまれている。これはらゼンマイ版が発売され、後にディスプレイタイプとしても販売された。

サンダーバード2号に続く第二弾は、光って回るサンダーバード5号

サンダーバード5号は※地球の軌道上を周回しているため、アクションプラモデルには向いていないと見るのが普通だが、サンダーバード2号に続いてサンダーバード5号が早々と発売されたのには理由がある。先に解説したように時代は『宇宙』時代であり『科学』の時代であった。宇宙進出の前哨基地である宇宙ステーションは、まさに未来の代名詞であり、子供たちの興味の対象だったのだ。それはSF特撮番組などに頻繁に登場しては子供たちの夢を掻き立てた。そんなわけで1967（昭和42）年のイマイのパンフレットの表紙を飾ったのは、他ならぬ宇宙ステーションのサンダーバード5号と、宇宙カプセルのジェミニだった。

サンダーバード5号は毎週、ほぼ真横からのショットが繰り返し登場したため、形やディテールが把握しやすかったのだろう。

サンダーバード5号は作中では自転しないのだが、イマイは地球を象ったスタンドによって宙に浮かせ、そのシャフトを使って自転運動、アンテナも回転し、透明パーツ部分がマメ球によって点灯。というアクションをひとつのモーターとマメ球で再現。モーターとギヤボックスの詰まった本体に、なんとか電池もレイアウトした、仕掛け一杯のアクションプラモに仕立てた。さらに付属のサンダーバード3号の船底にはフェライト磁

※5号は地球の軌道上を周回している

サンダーバード5号は、最初に撮影されたフィルムが毎回流用されており、毎週同じアングル、それもほぼ真横からのショットが使われた。そして本体が正円であると想定できるため、形の把握が容易で、従ってプラモデルも非常によく似ていた。写真は作中のショット。

石が付き、これによってスタンドに吸着するのはもちろんスチール机や金属家電などにも当然吸着した。またサンダーバード3号の機首は取り外して鉛筆立てになるという、完成後、子供たちが机の上に置くことを想定した楽しい仕掛け満載のプラモだった。“ドッキング”や“ランデヴー”のような英単語は、宇宙開発の記事が非常に高い頻度で少年誌などにも載っていたことから、未就学児童たちの間にも浸透しており、“ドッキングセット”と言う商品名も秀逸だった。

6色の成型色はとにかくカラフル

付属のサンダーバード3号も含めると成型色は6色で、大変カラフルであったが、当時は現在の“いろプラ”のようにひとつのランナー内で多色成型できる技術は無かったため、パーツをアイボリーの成型色にしようと思ったらそれらのパーツをアイボリー成型のランナーにまとめなくてはならず、配色を考慮の上でパーツのレイアウトが必要で、大変手間のかかる工程であった。

また、モーター、ギヤボックス、リード線、電池受け金具、輪ゴム、金属シャフト、マメ球、などなど、自転などのアクションを成立させるため、プラ成型パーツ以外の金属パーツが非常に多く、それらは※自社工場では成型できない、外注業者から納品されるパーツたちであった。そのため初版のアクションプラモ仕様での再版はされることはなく、再販時には動力機構をオミットしたディスプレイキットとされた。

1966 ⟷ 2021

※自社工場では成型できない、外注業者から納品されるパーツたち

成型工場は自社工場として保有していたが、金型の製作、以外、モーターを始めとしてゼンマイ、金属パーツやハトメ、ビス、リード線などなどはすべて外注業者への発注であったため、再生産などの時にはオミットされてしまった。

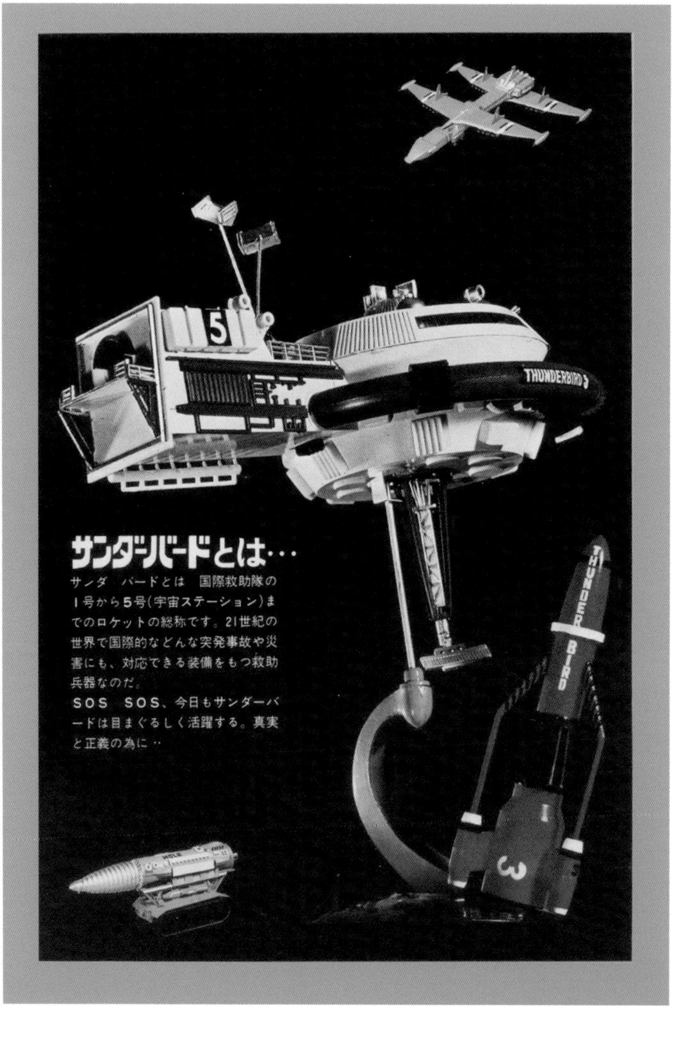

サンダーバードとは・・・

サンダ　バードとは　国際救助隊の1号から5号(宇宙ステーション)までのロケットの総称です。21世紀の世界で国際的などんな突発事故や災害にも、対応できる装備をもつ救助兵器なのだ。

SOS　SOS、今日もサンダーバードは目まぐるしく活躍する。真実と正義の為に・・

1967年4月－イマイ 宇宙科学シリーズ No.6

オマケから独立した50円の低価格プラモ

サンダーバード3号は救助メカの中で最大のメカで、設定全長が当初は60m程度だったが約90mへと変更された。NASAがアポロ計画のサターンロケットの全長が100mを超えると発表したためだ。撮影用モデルは全長が2mに近く、これはすべてのサンダーバードメカの中で最大で※狭いスタジオでの取り回しの限界に近かった。宇宙での救助活動を一手に引き受けているが、間接的な救助作戦が多く、また出動頻度も高くなかったため、あまりヒロイックな活躍を思い出せない。機体自体に物理的なギミックがなく、それはプラモデル化の際も懸案事項だったようだ。

ただ※巨大感の演出は素晴らしく、撮影用モデルの表面には細かい凹凸ディテールが付けられパネルラインの塗り分けが秀逸だった。しかしそれらは小さいプラモでは再現できず、プラモ化の際は※発射台を付属させようとするなど、いろいろとバリューの追加が思案された図面が残されているが、最終的にはサンダーバード5号の付属としてのミニサイズでの商品化に留まってしまった。単品売りは50円と低価格であったため、パッケージも上蓋の無いキャラメル箱で、組み立て説明図もその箱の裏面に印刷されていた。

※狭いスタジオ

デレク・メディングス特撮監督が製作に関わりだした初期は、スタジオの真ん中に柱があって撮影に支障があったと言う。また円谷英二が同スタジオを見学した際、その狭さに驚いている。

※巨大感の演出は素晴らしく

表面には、機体の巨大さを演出するための細かいディテールがあり、映画スクリーンでのアップにも耐えられた。写真は約2mの撮影モデル。

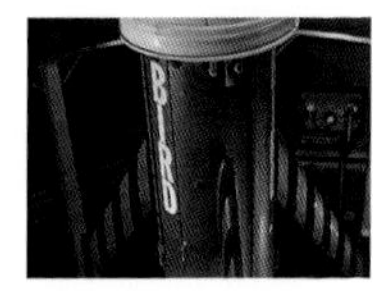

※発射台を付属させようか

イマイがサンダーバード3号開発当初描いた図面。単体ではバリューに欠けると思ったようで、オリジナルの発射台をセットしようとしていた。

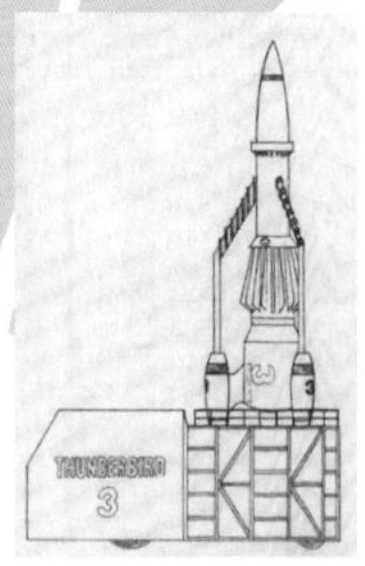

●『サンダーバード3号』(50円)

ようやくサンダーバード3号が登場するも・・・それはサンダーバード5号のオマケ・メカ?

▲140×90×3㎜という小さなパッケージで上蓋の無いキャラメル箱で、箱サイドのデザインも他のサンダーバードとは異なっていた。しかし当時一番安価な50円でパーツ数も少なく、しかも磁石付き。イラストのアランはハンサムすぎ?

▼箱の裏面が組み立て説明図。子供が急いで作れば10分以内に完成させて遊べた。箱の中のビニール袋にパーツ一式と転写マーク入り。機体が赤、放熱フィンがダークグリーン。

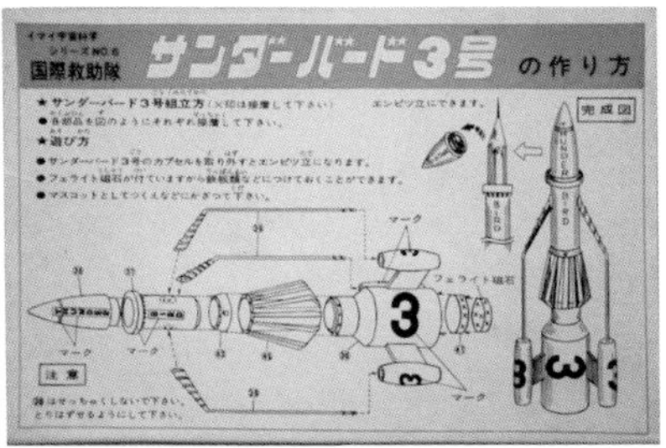

▼当時のカタログより。250円は一ヵ月のお小遣いでは届かないが、まだおねだり出来る範疇。サンダーバード1号はすでに二版目のゼンマイ仕様となっている。この後どんどん高額商品が投入される。

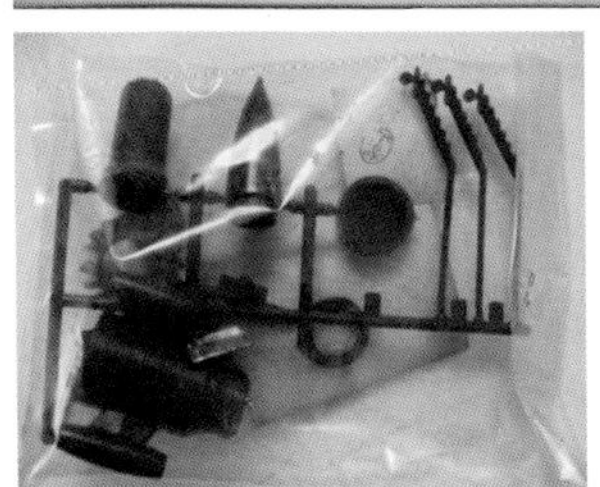
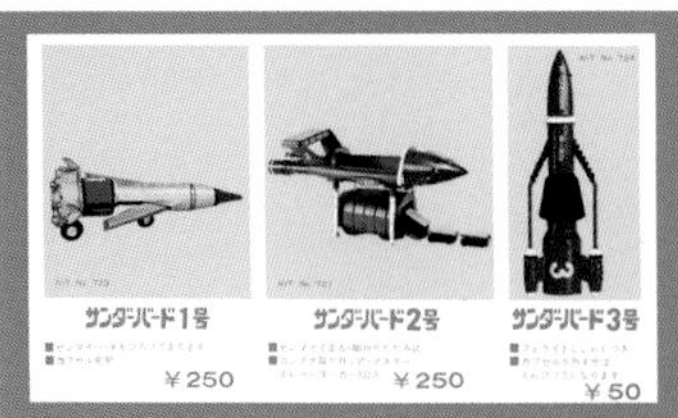

1967年4月 - イマイ 宇宙科学シリーズ No.7

当時のスタンダード、ゼンマイ走行は必須条件？

すでに書いたようにサンダーバードの初放送はNHKによって1966（昭和41）年4月10日～1967（昭和42）年4月2日まで行われた。本来であるなら全32話なので1966年内に放送は終了のはずだが、大変反応が良かったため、異例なことに全話放送終了後※16回分の再放送を行っている。年末で終了せず、年を跨いだ4月まで放送が延長されたのだ。当時のサンダーバードのライセンス商品を扱っていたメーカーにとっては、これはなによりの朗報だったに違いない。

“水モノ”とよばれた潜水艦プラモの『サブマリン707』で大ヒットを取ったイマイであるが、サンダーバード4号はゼンマイ搭載の走行アクションプラモとして発売した。全長156㎜で、船首照明装置を上げると船首からミサイルがスプリング発射。船体が小さいため、従来よりも小型のゼンマイを搭載。実はサンダーバード4号は作中の第10話『ニューヨークの恐怖』の回で、トレーシー島の格納庫から走り出でて、※海岸線まで地上を自力走行しており、そう考えるとこのゼンマイ走行する潜水艦4号のプラモも、納得がいくかもしれない。船体はイエローで転写マークとして赤いストライプと黒いアルファベット、数字が付属していた。

※16回分の再放送
NHKはCMを挟む必要がないため、正味50分×48回の放送とした。その後半の内16回が再放送だった。民放であると50分は一時間枠作品となってしまうため、恐らく一話を二分割されて放送されていた公算が高い。

※海岸線まで地上を自力走行
第10話における、かなりの速度で滑走路を走るサンダーバード4号。滑走路の突端が海へと傾斜してサンダーバード4号はそのまま海中へ向かう。

1966
2024

●『サンダーバード4号』(ゼンマイ・200円)

サンダーバード4号、登場するも潜水艦なのに ゼンマイ搭載の走行アクション?

◀キット自体はゼンマイ走行だが、パッケージではもちろん潜水艦として描かれている。サンダーバード2号は岩礁の上に着陸、後方にサンダーバード1号が手数を惜しまず描き込まれている。サンダーバード4号の尾翼奥の黒いシミのようなものはカモメ。

▲パーツは意外と簡素。タイヤは後2輪、前1輪がステアリング。完成品とボックスアートとを比べるとキットは船体がシャープ。船体の成型色は黄色一色だが、転写マークを貼っただけで満足できる出来栄えとなる。アクションは船首より(水中)ミサイルが発射する。

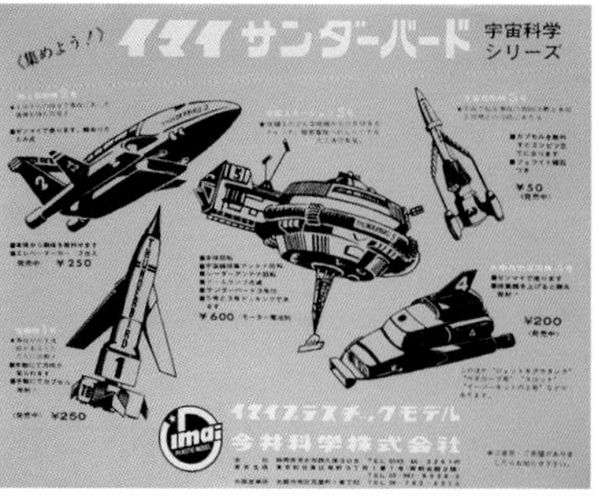

▶同シリーズのサンダーバード2号(250円)に同梱のチラシ。すべてのキットに値段が書かれていることから随分後のロットに封入されていたのだろう。イマイの東京支社と大阪営業所の住所も併記。

1967年5月－イマイ 宇宙科学シリーズ No.8

待望のサンダーバード1号は、最後に登場?!

●『サンダーバード1号』(モーター別・250円)

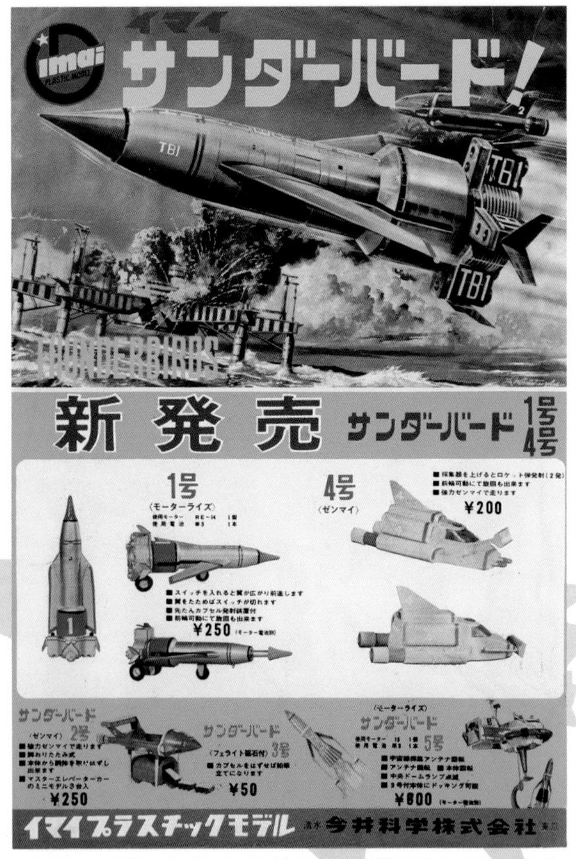

▲サンダーバード1号からサンダーバード5号までが出揃った時点での1ページ広告。サンダーバード1号はまだ初版のモーター搭載とされている。このメインビジュアルは初版のもので広告に使用されてもそのポテンシャルは高い。

サンダーバード1号が、モーター走行？

サンダーバード1号が主要メカではトリを務めることとなった。250円はサンダーバード2号と同じだが、サンダーバード2号がゼンマイだったのに対し、こちらは電池、モーターを別買いで揃える必要がある。サンダーバード2号が脚の折りたたみ、コンテナの換装、高速エレベーターが3両付属など、プレイバリューが高かったのに対し、サンダーバード1号は翼の開閉以外に目立ったアクションが見当たらない。そのため企画段階では、オリジナルの発射スタンドを付属させ、空気圧で飛ばす、などのアイデアが出されたが、結果、定番のモーター走行プラモとなった。

機体自体はよく似ていたが、走行のための大きなゴムタイヤを付けたため、スマートなイメージを壊してしまっている。作中では細い着陸脚が主翼の下に折りたたまれている設定だが、実は※必要な時にボルト留めされていたので、この着陸脚の開閉は再現できなかった。

しかし走行のためのON・OFFスイッチは工夫されており、翼の開閉ボタンを押し、翼を開くと走行、閉じると停止する。また機首がスプリング発射する。サンダーバード1号は放送が進むにつれ、機首からマシンガン、腹からニードル、水中聴音機や移動指令室（ムーバーコントロール）、空中バイクなども搭載する新機能を披露するが、それらは小さなプラモデルには反映できなかったようだ。

※必要な時にボルト留めされていた

分かりにくいが着陸脚は撮影で必要な時に、取り付けられ上からボルトにて留められていた。

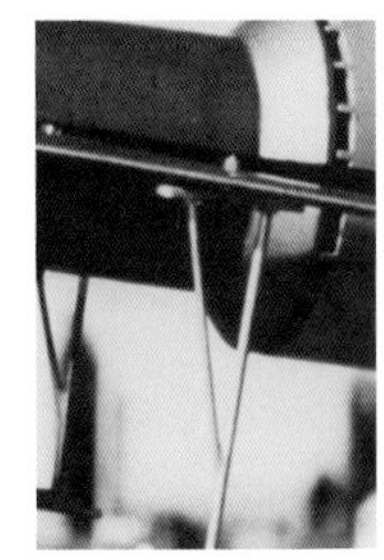

第二版はモーターからゼンマイに変更された異例のキット

全長が124mm、胴体の直径が23mmのため、機体にモーターと電池とを搭載すると、電池交換が難しく、結局電池交換時には機体を前後で二分して交換を行うしかなかった。しかしこの機体の分割面のパーツ同士の接着面が狭かったため、交換を繰り返すうちに機体の接着箇所が破損する事案が多発したため、急遽第二版からはモーター搭載をやめて、※ゼンマイ駆動に変更するという異例の対応をせざるを得なくなった。つまり初版時はモーターライズだったが、再販時からはゼンマイ駆動となったということだ。

そしてこのサンダーバード1号には初版と二版の二種類のボックスアートが存在した。初版は第26話『海上ステーションの危機』のサンダーバード1号が駆けつけたシーンの再現で、二版目は第27話『クラブロッガーの暴走』で、崖から落下するクラブロッガーと救助に来たサンダーバード1号を描いたものだ。初版イラストは後に復刻盤などでも再生されたため、どちらかと言うと第二版のクラブロッガーのパッケージアートの方が貴重かもしれない。

※ゼンマイ駆動に変更する

上がモーター搭載の初版。下がゼンマイ搭載に変更となった第二版のサンダーバード1号。再販時に仕様が変更になるのは珍しい。

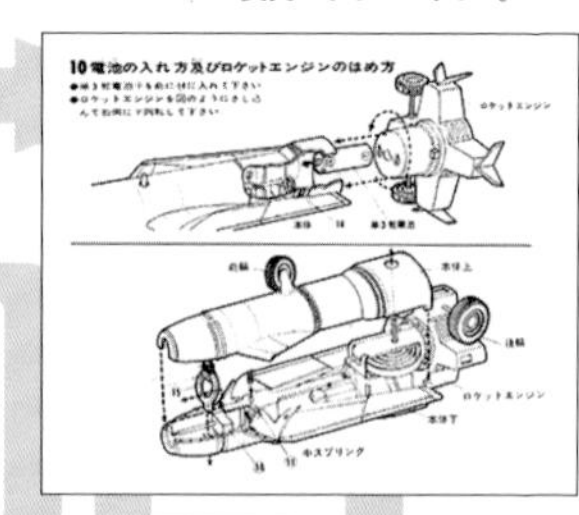

▲初版の箱。第6話『海上ステーションの危機』の一場面を再現したもの。スチール写真が入手できたのか、ステーション自体も詳細に描いている。モーター別で250円。

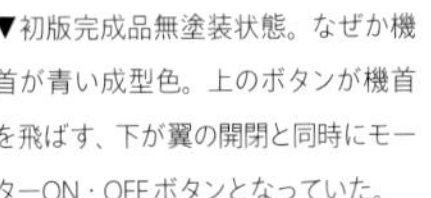

▼初版完成品無塗装状態。なぜか機首が青い成型色。上のボタンが機首を飛ばす、下が翼の開閉と同時にモーターON・OFFボタンとなっていた。

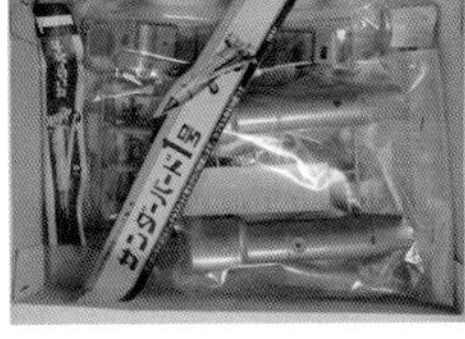

▶パッケージにはやはりパーツ押さえのための“タスキ”があった。チューブ入り接着剤も同梱。モーター、電池は含まれておらず別売りとなる。

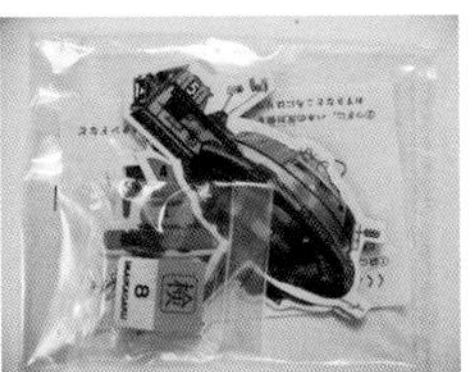

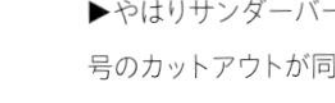

▶やはりサンダーバード各号のカットアウトが同梱。

●復刻：今井科学版 サンダーバード1号

▲定価：2,980円（税込/当時）発行/2011（平成23）年4月15日 初版の徳間書店「ROMAN ALBUM 大人のプラモランド」。イマイ初版イラストを使用したブックレット付復刻版。箱の中のタスキも再現したもの。

▼第二版のゼンマイ仕様改訂版。イラストが第27話『クラブロッガーの暴走』の作中イメージに替えられた。この絵はバンダイによる最初の再販時にも使用されたが以降、復刻しないのでこちらの方がレアかもしれない。初版は宇宙科学シリーズNo.8だがこちらはNo.15となっていた。

1967年6月 - イマイ 宇宙科学シリーズ No.9

マスコットシリーズの流れを汲んで・・・

イマイは1961（昭和36）年に『鉄人28号』を発売したが、1年後の1962（昭和37）年にはすでに※「歩くマスコットシリーズ」と銘打った人気漫画のキャラクターのフィギュア・プラモを発売している。イマイもまだ木製模型も生産していた、そんなプラモデルの黎明期である。

『鉄腕アトム』『鉄人28号』『ロボット一家』『ナガシマくん』の4点セットを180円で販売し、後に1点40円でバラ売りしている。だいたい全高70mm程度の立像で、この時点ではアトムも鉄人もまだテレビアニメ化しておらず、双方ともアニメ化されて大ブレークするわけでイマイの先見性は素晴らしいものがあった。イマイはこのあと、「マスコットシリーズ」と、シリーズ名を変えて展開。生産直前に、もう少しいじろう、と手を加えたため、このシリーズのフィギュアの顔には同じ商品でも個体差があるという。

50円の低価格ながら楽しさを追求したキット。

サンダーバード・マスコットは、このマスコットシリーズの系譜だ。隊員たちの立像以外にミニメカが付属しており、その両者がスタンド上に配置されているという構成で単価は50円。『サンダーバード スコット』にはサンダーバード1号が付属し、『サンダーバード バージル』にはサンダーバード2号が付属、『サンダーバード アラン』

※「歩くマスコットシリーズ」
足に糸巻車のギミックを仕込み、フィギュアを走らせた。イマイは、このように非常に小さなアイテムでも、惜しまずアイデアを付加していた。そしてそのギミックを取り払ったものが『マスコットシリーズ』である。

にはサンダーバード3号。『サンダーバード ゴードン』はサンダーバード4号が付き、そして『サンダーバード ジョン』はサンダーバード5号が付いていた。

いずれもスタンドの上に立っているため完成時の全高は80㎜前後で、ポーズも腰に手を当てているなどもあるが、ほぼ直立だ。そして従来のマスコットシリーズ同様に、眼や口といった顔のパーツと、胸に着く国際救助隊のエンブレムが転写マークとして付属した。

当時はまだ、キャラクターに似せると言っても技術的に限界があったが、しかし、アラン、ゴードン、ジョンは、よく見るとそれと見分けのつく顔立ちを再現していた。このシリーズはパッケージにおいては隊員たちよりも背景のメカの方が大きく印象的に描かれており、箱も上蓋の無いキャラメル箱で、組み立て説明図もその箱の裏面に印刷されていた。

またアイテムによっては外箱を加工して展示用のスタンドベースと出来るなど、50円の商品ながら随所にアイデアを盛り込んだ楽しいシリーズだった。このキットは再生イマイが稼働した後も長く売られるロングランアイテムとなった。

●『サンダーバード マスコットシリーズ』(50円)

隊員の立像とミニ・メカ、ベース付きで50円はオトク感？

▲▶1963（昭和38）年から展開して来た『0戦はやと』『エイトマン』『狼少年ケン』『忍者部隊 月光』などのマスコットシリーズとの違いはなんといってもキャラクターの立像にメカが付いているということ。このあと『キャプテンスカーレット』でも同様のプラモを発売していく。上はイマイの総合カタログ、右はサンダーバード・カタログより。

MASCOT SERIES ★★★ マスコットシリーズ

1号 スコット ¥50

2号 バージル ¥50

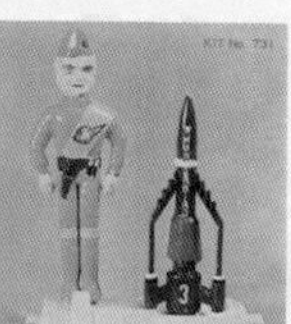
3号 アラン ¥50

4号 ゴードン ¥50

5号 ジョン ¥50

◀▲スコットの箱裏面は組立図となっており、ヒョウタン型プールがベースで、サンダーバード1号がスプリング発射する。

▼サンダーバード1号以外は、組立図は別に同梱され、箱裏面は切り抜いてスタンドになるという細かいバリューが付加される。裏面右下に箱を生かした完成図を見ることが出来る。

▼イマイに残されていたマスコット・パノラマのポジフィルム。300円でこのボリュームなら満足できる。この5点セットも超レア・アイテム。

1967年7〜12月 - イマイ パノラマシリーズ No.1. 2. 3

好景気だ！ボーナス商戦に照準した詰め合わせセット登場

1号から5号をまとめた"お得感"100倍のセット！

経済動向に目を向ければ、1966（昭和41）年から1970年代のオイルショックに至るまでは、日本の経済成長率が実質10％という高度成長期にあった。従って当然個人消費も伸びると、前出の3大家電に加え、住宅ローンによる家の購入も夢ではなくなってきた、そんな時代である。そんな消費の拡大を受けて、イマイは大型商品を夏季ボーナス商戦に投入。7月は再放送がスタートし、同時に※劇場版『サンダーバード（THUNDERBIRDS Are Go）』の放映が始まり、※少年漫画誌などは劇場版を表紙に据えた。嫌が上でもサンダーバードに注目が集まった。

そこでイマイはサンダーバード1号からサンダーバード５号に、マスコットシリーズのスコットを加えたパノラマシリーズを企画。上記6点のキットを一箱にまとめた詰め合わせセットで、それまでとは一桁違う1,800円という高額・豪華アイテムである。

ただ6点のキットを詰め合わせただけではなく、サンダーバード秘密基地をイメージした組み立て式のペーパーディオラマが付属し、完成したプラモを展示できた。また箱のサイズも幅

※劇場版『サンダーバード（THUNDERBIRDS Are Go）』

英国映画。監督デイヴィッド・レイン。脚本ジェリー・アンダーソン、シルヴィア・アンダーソン。音楽／バリー・グレイといったテレビのオリジナルメンバーによって作られた映画版。巨大なゼロエックス号の火星での冒険を主軸としたSF映画。写真は当時のパンフレットの裏表紙。

は642mmもあり、子供には抱きかかえられないほどのボリューム感だった。

海外に目を移せば、日本より20年先んじていたプラモ先進国の米国レベル社が、クリスマス・ギフトセット、などとして人気の航空機プラモを詰め合わせたセット物を販売していたが、国内でとなるとすぐには思い当たらない。

この『パノラマシリーズNo.1』には、3ヵ月後に発売された後期版がありこちらは詰め合わせのセット内容が変更されている。それというのもサンダーバード1号が初版のモーターライズからゼンマイ搭載に変更されたためサンダーバード1号用モーターが必要なくなったのだ。しかし価格を1,800円とするため、マスコットシリーズのバージルを追加することで補った。

パノラマシリーズNo.2は、モーター搭載プラモの詰め合わせ

パノラマシリーズNo.2は11月発売で、冬のボーナス商戦詰め合わせセットだ。『イージーキットサンダーバード2号（600円）』『ジェットモグラタンク（450円）』『エックスカー（500円）』と人気の3点の詰め合わせセットで、いずれもモーター搭載のキットたちだ。これらにサンダーバード秘密基地ことトレーシー島のペーパーディオラマを付属させて価格はNo.1と同じ1,800円とし、パッケージサイズは長辺が650mmと大きかった。イマイがこのように、必要に応じて自在にアッセンブル（詰め合わせ作業）を行えたのは、

※少年漫画誌など

当時『サンダーバード』は少年漫画誌の表紙や巻頭頁に取り上げられた。

1967（昭和42）年の映画公開当時の『週刊少年キング』表紙には「夏休みサンダーバード痛快号」の見出しが躍る。

●『サンダーバード パノラマセット1』(1,800円)

▲642×353×73㎜の大きな箱は夏のボーナス商戦の主力。サンダーバード1号〜サンダーバード5号のメインメカを一堂に描いたパノラマ絵は迫力満点。前期版(左)と後期版(右)は詰め合わせ内容に差がある。後期版はサンダーバード1号がゼンマイになり、マスコットが一つ追加されている。

◀▼キット内容は、箱のフタ裏がディオラマの背景、パッケージングは内箱3つで仕切られていた。それにペーパーディオラマが付属。バラで買うよりずっとバリューとお得感あり。番組の人気だけではないこの商品力が人気を呼んだ。

●『サンダーバード パノラマセット2』(1,800円)

▲箱だけでも欲しくなる 650×353×73㎜のパノラマ絵。サンダーバード4号を入れ込むため海辺のロケーションとするなどして、キット付属の搭載メカを全部描き込んでいる。ここでもなぜか『エックスカー』が一番目立つ。

▶内容はモーターライズの人気3メカのセットだが、No.1のプラモ6点セットと比べてしまうとややセット内容が見劣りするかも。価格はNo.1と同じ1,800円。

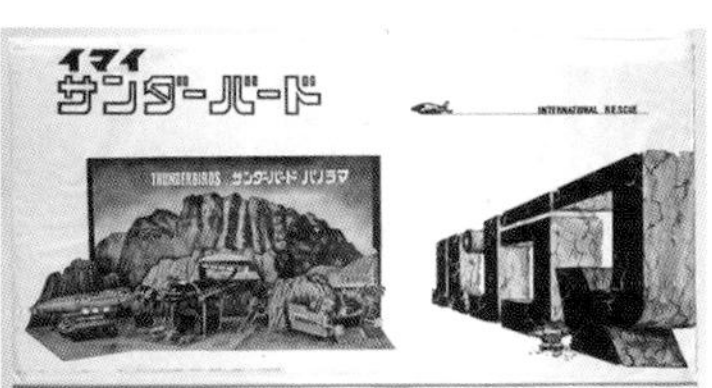

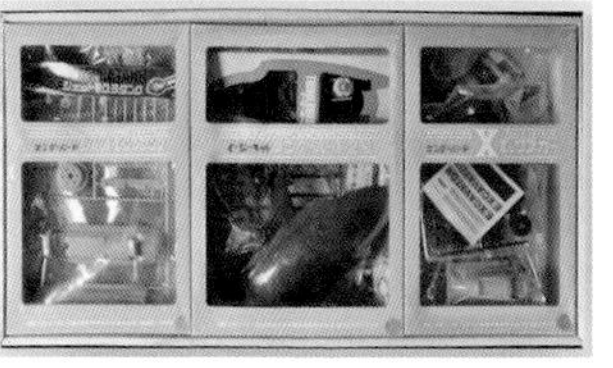

◀▲キット内容は、箱のフタ裏がディオラマの背景、パッケージングは内箱3つで仕切られていた。それにペーパーディオラマが付属。とNo.1と同じ。ペーパーディオラマは白い大きな封筒に封入されていた。

成型からアッセンブルまでを自動で行える藤枝新工場が稼働していたからだろう。またモーターやゼンマイ、ゴムタイヤ、そして転写マークなどの細かい外注業者からのパーツも含まれていたため、当時のイマイのプラモには、最終的にパーツの欠損がないかを確認したことを示すため、わざわざハンコを突いた検査証が付いてるなど品質管理も徹底していた。

パノラマシリーズ No.3
『マスコット パノラマセット』

パノラマシリーズNo.3は12月発売。すでに発売された5人の隊員たちのマスコットを詰め合わせとしたセットで、上記2点のセットと同じくサンダーバード2号格納庫とトレーシー邸が描かれたペーパーディオラマが付属し、完成後はフィギュアたちを展示できた。こちらはモーターもゼンマイも必要のないディスプレイタイプなので、300円だ。50円のキット5体で250円にペーパーディオラマが付属して300円ということだ。これら既存のアイテムを詰め合わせセットとする商品はこれで最後となった。ペーパーディオラマは省かれたがマスコットの5点セットは後年再販されている。

サンダーバード、待望の救助メカは
ピンクのロールスロイス!!

一番似ていたかも知れない
ピンクのロールスロイス

サンダーバード企画当初から、さまざまなアイデアを作品に盛り込もうと意欲的だったシルヴィア・アンダーソンは、華麗に任務をこなす女諜報部員を登場させようと考えていた。もちろん世界的に大ヒットした映画『007』の影響もある。今度はそんな役回りのヒロインの登場を提案したのだ。

そんなヒロインの愛車がペネロープ号ことFAB 1だ。フロント4輪の華麗なデザインは特撮監督デレク・メディングスによるもので、ロールスロイス社からの正式な承認を受けたものだ。従ってフロントグリルにはロールスロイスのロゴが輝き、フライング・レディこと「スピリット・オブ・エクスタシー」も再現されている。

イマイは宇宙科学シリーズの第10弾に、当時の※日本語版の呼称に合わせてペネロープ号を加えた。

登場頻度は高いが、
ピンクのロールスロイスのバリューは・・・

イマイはそれまでもすでにカーモデルも生産してきているので、自動車のプラモとなればお手のものだった。車体のシルエットも良くとらえており、玩具っぽいデフォルメも無く、もし

※日本語版の呼称に合わせてペネロープ号

パッケージにはFAB 1の文字もあるが、日本語訳の呼称に従って商品名は『ペネロープ号』となっていた。シルビアによるとFABとは当時、素敵とかイカスを意味するfabulousから採ったもので、本国版では隊員たちの了解を示す応答もすべてFAB(エフ・エー・ビー)であったが、日本語訳では「了解」とされていた。

かしたら当時のシリーズでは一番作中のそれに似ている部類だった。

初版のボディカラーは作中同様のピンク一色。前4輪がステアリングということも、同様に再現されていた。

モーターライズで走行、車体が障害物などで振動すると前部からミサイルが発射するという楽しい仕掛け付きだった。しかしやはりアクション・プラモなので、車内のインテリアは省かれており、後部座席でキセルをくゆらせているはずの肝心のレディ・ペネロープは、どういう訳か存在自体省かれていた。恐らくなぜレディ・ペネロープが付属しないのだ、ということになり、価格、製品番号はそのままで、レディ・ペネロープを追加しボディカラーを赤としたマイナーチェンジ版がすぐに発売された。このペネロープ号には再生イマイとなってからの“青いペネロープ号”という謎のバージョンがあるのだが、それは再生イマイのページでご紹介することにしたい。

スパイに愛車は不可欠で、映画『007』がアストンマーチンなら、こちらはロールスロイスで対抗だ、と言う訳だが、日本では双方共にイマイがプラモデル化していたことになる。

1966 2021

1967年7月 - イマイ 宇宙科学シリーズ No.10

●『サンダーバード ペネロープ号』(モーター別・380円)

◀珍しく背景にサンダーバード1号が描き込まれているボックスアート。パッケージは車体のピンクに合わせてピンクの帯、そしてFAB 1とも書かれているが商品名は『ペネロープ号』だった。なぜかレディ・ペネロープではなくパーカーのアップが…。

▼当時のカタログより。試作品に塗装したものと思われる。バブルキャノピーの形状は似ているが、キャノピーのサンは自分で塗るしかなかった。スケール的に難しいが、フロントグリル上のフライング・レディもモールドされている。

▲再生イマイの最後期にレストアされて再販した同キット。パーカーとレディ・ペネロープはシートと一体ではなく、独立した追加パーツとして付属していた。ホイールは別売り金属パーツもあった。

▼右から古い順のキットたち。なぜか途中で混迷し、青い成型色を経て、ようやくピンクにたどり着く。バブルキャノピーも微細に色が異なる。2版目からレディ・ペネロープが付属。

TVCMも放送!!♪イマイのサンダーバード♪

1967年、プラモとしては異例なTVCM!! カラーバージョンもあった!!

当時プラモメーカーのテレビCMは非常に珍しい。それだけにインパクトがあった。もちろん子供でも、テレビでコマーシャルを打つのには大金が掛かることくらいは知っていた。関連業者も、イマイの勢いを再認識したかもしれない。

カラー、モノクロ含めてサンダーバード関連のものが14種類もあり、『サンダーバード』以外にも『キャプテンスカーレット』『青の6号』など、イマイのCMは多数あった。写真は、本編のOPに倣って、5からカウントダウンして始まるもの。製作は東北新社。立ち会った当時の開発部長は、サンダーバード2号の噴射口に火薬を仕込んで点火するとプラスチックが溶けてしまうので、自ら金属製のものに代える工作をしたと言う。イマイのサンダーバード・プラモは当時ものすごくメジャーな存在だったのだ。このカラー版は1967年夏に放送したものと思われる。ボーナス商戦の決定打ということだ。♪イマイのサンダーバード♪というオリジナルソングが付いていた。

▲サンダーバード1号からサンダーバード5号とジェットモグラ、ペネロープ号など人気メカが出揃ったタイミングでの夏休み集中CM。再放送、映画の公開とサンダーバード攻勢は続く。登場するのはすべてイマイのプラモデルの完成体。モノクロ受像機主流時代にカラーCMは流石。

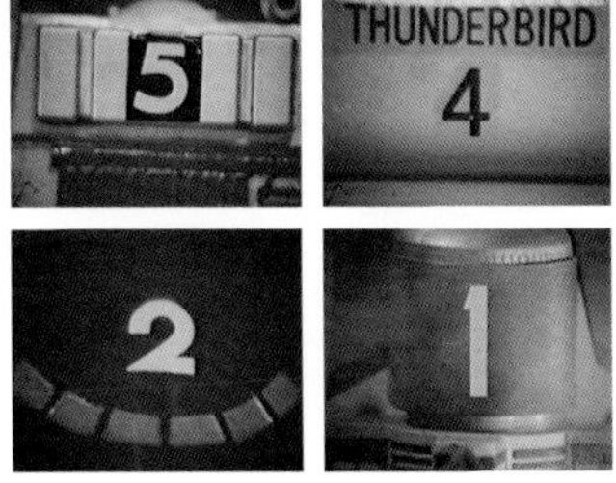

◀OPを真似てメカのナンバリングからズームダウンしてカウントする始まり方。振り返ると4以外の転写マークの書体もホンモノに似せてある。

▶全国統一定価だったので定価も表示されていた。玩具は東京価格と地方価格があった時代だ。一見大きさの対比が判らないので、なぜサンダーバード3号だけが50円と安いのか、質問が寄せられたと言う。改めて見直すと確かにサンダーバード3号の価格だけが安い。これ以外にゼロエックス号、ジェットモグラタンク、エックスカーなど各品目ごとのCMもあったのは当時のイマイの勢いを感じる。

1967年8月 - イマイ 宇宙科学シリーズ No.11

救助メカの出番が来た!!
走って回ってミサイルも飛ぶ!!
プレイバリューは120点!!

『ジェットモグラタンク』はイマイが命名!

　このキットの商品№は729だ。これはすべてのイマイのプラモに付けられていた通し番号であるから、要するに創業以来729番目の製品ということになる。イマイは同業他社、同様に戦艦、航空機に戦車もプラモデル化してきており、当時のスタンダードとなっていた、モーター搭載、ゴムキャタピラ走行の戦車などもお手のものだった。そういう意味ではこのジェットモグラはそれまでの集大成的キットと言えるかもしれない。

　前述のとおり、ジェットモグラは初登場時に作中で※真横が映る。これはプラモを設計する上では大変助かるカットだった。そういう経緯で当時の特撮SF系プラモの中でも、断トツに、実車に似ていた。

とにかく作中のメカアクションが秀逸だった。

　ジェットモグラは原語では『The Mole（モグラ）』と呼ばれており、それを日本語訳した翻訳スタッフはジェットモグラとした。地中進行時に後部からジェットを噴出するから間違ってはいない。しかしイマイはそのジェットモグラにさらに『タンク』を付け足して商品名を『ジェット

※真横が映る
　初登場時にジェットモグラは車体左側面のほぼ真横のショットがあるため、全体の形が非常に把握しやすかった。

1966 2021

モグラタンク』としたのだ。タンクは戦車の俗称だ。この呼称はこの後のバンダイ模型のプラモにも踏襲されるなどして広まった。プラモデルの商品名としては、男の子に刺さる秀逸なネーミングだ。

作中ではクローラーで走行し、地中進行時にはガントリーが傾斜し、モグラのドリルが回転、モグラ左右にあるサイドクローラーも回転し、後部からジェットを噴射して猛烈な砂塵を巻き上げて地中へと潜ってゆく。イマイのキットはガントリーの傾斜を除いては、ほぼそれらを再現していた。

ジェットモグラ本体に搭載されたマブチRE14モーターにて、ジェットモグラの動輪を回転、同時に螺旋状ドリルの回転と先端のスピンナーを別速度で回転させる。サイドクローラーはプレート状に簡略化されてはいたが前後にピストン運動。その動力をシャフトを介してクローラー車体へと伝達し、クローラー車体も前進後退する。またクローラー車体前方にミサイルが付属し、スプリング発射する。ミサイルの※弾体は6発付属。起動スイッチは目立たぬようにジェットモグラ後部の噴射口を捻ることでON、OFFとなっていた。完成すると作動はスムースで、今、自分が組み立てたものが走ったり動いたりするのはたまらない興奮だった。

絶版決定？ 初代ジェットモグラ。

このキットは、あとはガントリーの傾斜だけ再

※弾体は6発付属
イマイのプラモデルに付属していたスプリングで飛ばせる弾体は、失くした時のことを考慮して装填できる弾数より多く付属していた。

●『サンダーバード ジェットモグラタンク』(モーター別・450円)

▲初版箱。小松崎茂サンダーバードシリーズの傑作箱絵のひとつ。花鳥風月画をこなす手腕は健在。手前の雑草から画面奥の岩山、遠方の雪の山脈、沸き立つ雲まで、描写力は比類ない。画中のサンダーバード1号はシリーズ初期のタイヤタイプ。この絵はバンダイ模型が再販した際にも使用することとなる。

▶初版キット無塗装の完成状態。成型色はなかなかシックな配色。モグラ本体には本来タイヤはないが、イマイ版には小さなゴムタイヤか付けられていた。モーターひとつでモグラも、そしてクローラー車体に乗せるとともに走行する。

▼同梱されていたボックスアート。流石にポテンシャルが高い！と判断したのか、このキットには小松崎茂のボックスアートがポスターとして付いていた！ なんだかすごく嬉しいぞ！

▲450円の価格と比してバリューは充分。イマイの絶頂期の完成度の高い一品。豪華感を演出し、ギヤパーツなどは内箱を付けてプラパーツとは分けられていた。その分箱も大きかった。

初版キットの駆動解説

ジェットモグラ本体搭載モーターによって、螺旋状ドリルの回転と先端のスピンナーは別速度で回転。サイドクローラーはプレート状に簡略化されてはいたが前後ピストン運動を行う。

ジェットモグラ本体は前進後退、その動力をアダプターを介してクローラー車体へ伝達、クローラー車体も前進後退する。起動停止のスイッチは後部ジェットノズル。電池交換はジェットモグラ上カバーが取り外せる。また、イマイのオリジナルとしてクローラー車体前方にミサイル発射ギミックが付加。

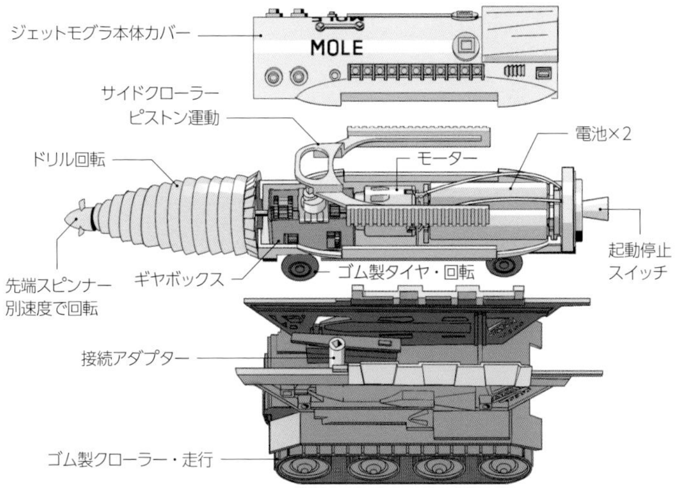

▲▶サンダーバード・ブーム再燃に際して、スタンダード・サイズの金型はバンダイへ売却してしまったため、製品からコピーしたレジンやホワイトメタルの複合素材による無可動ガレージキット。

● MOG-001
1991年発売
1/80ジェットモグラタンク

現すれば再現度100%となるのに…と当時も思ったものだが、ジェットモグラを乗せた状態ではガントリーを30度程度、傾斜させるとドリル先端が接地してしまうのだ。撮影時はカットごとに条件を変えているので※そうとは悟られない。

また2000年代になってから再生イマイが新たな設計によって新ジェットモグラタンクを作っているのでそういう意味ではこれは一代目と言える。当時のサンダーバードプラモの中にあってシリーズ最高のプレイバリューだと誰もが認めるキットだろう。

また小松崎茂の筆も一段と冴え、ジェットモグラ後方にはイマイの依頼に応えてサンダーバード2号が描かれているが、さらに上空にはサンダーバード1号が、そして遥か遠方の雪を頂いた山の峰や沸き立つ雲にまでに動きがあり、作家自身が“のって”描いていることが見て取れる。

この傑作キットはイマイ倒産時にバンダイ模型に受け継がれ、70年代になってからも何度か再販されたが、92年の再販を最後にその金型は死蔵されてしまっている。現在アオシマから発売されているのは再生イマイが自主解散直前に製作した二代目ジェットモグラだ。

※そうとは悟られない。
撮影時はジェットモグラを載せたガントリーが傾斜した時、ドリル先端が接地する部分を掘り下げるなど、カットごとに成立させている。

1967年8月 - イマイ 宇宙科学シリーズ No.12

モーター組み込み配線済み!!
面倒な工作はすべて完了!!
サンダーバード2号のグレードアップ版、登場!!

イマイの新機軸!『イージーキット』とは?

人気のサンダーバード2号のグレードアップ版が登場する。シリーズ後半に、小さくて低価格のミニシリーズを展開するが、サンダーバード2号だけは250円、600円、最終的にはラジオコントロール仕様4,800円と、高額、豪華版を送り出したが、これは人気があった証拠と言える。

このサンダーバード2号はゼンマイ版をモーター駆動に格上げしたのだが、特に年少者には手ごわい電池、モーターの配線やギヤボックスの取り付けなどを、すべて事前に済ませてある新機軸である。筆者はこのキットで"イージー"が"容易、簡単"という意味だということを覚えた。

ハンダ溶接は子供には難儀な工作だった?!

モーター、電池の配線、接続は、リード線どうしを結んで、せいぜいセロテープで繋ぐことで作業を終えていた。しかし完成後に断線などが生じた際は永遠に動かないまま、本棚で埃を被ることになってしまう。本来はハンダ付けするのが相当で、幸いにも筆者の場合、兄がトランジスタラジオやスピーカーをいじっていたので、ハンダ付け道具類一式、電圧を計るテスターなどは揃っていた。しかしプラモの配線を頼むと、自分でやれと言われ、慣れない手つきで加熱したハンダゴテとハンダを握りしめて作業を開始すると、今度は、そんなに沢山ハンダを溶かすな！とか、ハンダゴテは加熱部分を向こうに向けて置け！とか、煙を吸うな！とか、散々指導された挙句、道具は貸してやるが、居ない時独りでは絶対にやるな、など注文が多く、配線作業が終了するまでひと騒ぎだった。実際、鉛を溶かしてリード線と金具を繋ぐ作業は、溶接ではなく“ろう接”という工程で、下手をすれば火傷を負いかねない、子供にはハードルの高い作業だったのだ。

これが企業努力、プラモの進化形なのか？

従って配線済みキットは子供にとってはこれ以上ない朗報だった。モーターの組み込み、電池ボックスとの配線工程を、すべて終わらせてくれたのだ。これは※アクションプラモの進化形に他ならない。

モーターは珍しい縦配置で、コンテナ内にミニメカを搭載するスペースを確保していた。前述したが、この2号が一番作中のそれに似ていたのは、資料が入ってきたおかげだった。

イマイはこのようにモーター配線済みキットや『サンダーバード秘密基地』ではふたつのモーター組み込み済みの上、島には塗装がされているという※『半完成プラモ』をリリースするなど、果敢に新しいプラモのカタチを模索していく。

※アクションプラモ
スケールモデルではなく、動くプラモデルの呼称が決まっていたわけではないが、イマイ社内ではギミック、仕掛けなどではなくアクションと呼んでいた。

※『半完成プラモ』
これも決まった呼称は無かったが、イマイは完全に完成させたラジコン商品のことを『オール完成キット』と呼んでいた。

●『イージーキット サンダーバード2号』(モーター搭載600円)

◀3台の付属メカが強調されて描かれており、箱の長辺も360mmと、そこそこのボリュームで満足感が大きかった。モーター搭載が見て取れるように窓が開けられていた。当時筆者はこの箱絵だけは蓋の4面を切り離し、しばらく本棚の開き戸に貼っていた。

▶噴射ノズルが赤、機体はダークグリーン。黄色いはずの機体前方ストライプは白だが、ミニメカたちの車体が黄色だったため赤、黄、ダークグリーンの3色のモールド。機体形状は当時一番作中のものに似ていた。

▼上が70年代再販。モーターではなく強力ゼンマイと書かれた500円版。機体の金型自体は同じもの。下がその後のゼンマイも排除した80年代再々販版1,500円。見分けが付かないが《特大》と追記されているのが動力無し80年版。

▶このようにモーターはミニ救助メカ搭載スペース確保のため、縦置きに組み込まれており、配線は"ハンダ付け"されていた。

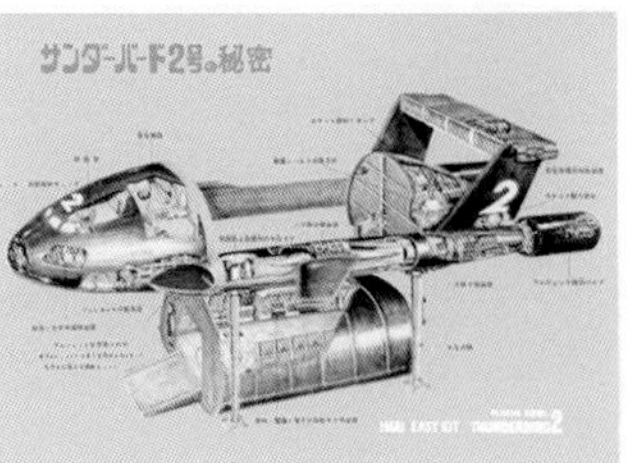

◀初版には英国の資料本を基にしたサンダーバード2号の内部図解が付属していた。

1967年11月－イマイ 宇宙科学シリーズ No.18

突然市場に登場した謎のメカ その名もエックスカーとは!!

初出不明の救助メカ『エックスカー』とは?

ジェットモグラに続いて店頭に並んだのは、謎のメカ『エックスカー』だった。『サンダーバード』のタイトル、小松崎茂のイラスト、そしてイマイのマーク。どれをとってもホンモノだが、誰も『エックスカー』なる存在を知らなかった。

これは1966(昭和42)年当時、『サンダーバード』の製作会社が発行していた書籍に掲載のコミックに登場するメカだった。そこでは削岩機を意味する『EXCAVATOR(エクスカベーター)』と呼称されていたが、イマイが独自で『エックスカー』としたのだが、パッケージには英文で『EXCAVATOR』とも記されていた。サンダーバード・テレビシリーズには※『EXCAVATOR』という救助メカが登場するが、それは『鉄の爪タンク』と訳されており、これとは別物だ。ジェットモグラが好評であったのに、続けて救助メカを発売せず、知られていないエックスカーを商品化した経緯を、当時開発担当だった開発部長に尋ねてみたところ「分からない」との答えが返って来た。

※『EXCAVATOR』という救助メカ

第13話に登場する車体にEXCAVATORと書かれている救助メカ。この他に2話登場の『Recovery Vehicle』を磁力牽引車とするなど、当時の日本語訳やプラモデルの商品名は、そのキャラクター性をより強調しており傑作ぞろいだった。

1966 2021

●『サンダーバード エックスカー』(モーター別・400円)

◀作中に登場しないだけあって、ボックスアートを描く時の自由度は上がった? グランドキャニオンのような風景も、活躍シーンもすべて創作によるイラストだ。EXCAVATOR(削岩機)だけあって岩を砕いて前方から取り込み後方へ噴出するという機能と推察するしかない。

▲やはりギヤボックスなどが内箱に入った豪華仕様のパッケージ。箱と比べると完成品は小さい。成型色は鮮やかなブルーと赤とシルバーグレイ。

▼フォーク(マジックハンド)を左右に動かし、前進後退する。ゴムのクローラーと転輪は防弾スカートのような側面装甲ですっぽり隠れる独特のデザイン。モーター搭載の構造上、前方の"口"は開口できなかった。

▶同時期のバンダイもエックスカーを玩具化している。玩具らしくヘッドライト部分もクリアーパーツ。テレビに出て来ないのに、なんでこんなに"推されて"いた?

▼再販時の原画が再生イマイに残されていた。なぜかスクロールバーが黄色に変更。後方にはサンダーバード2号とそしてサンダーバード1号も描きこまれている。

▲元ネタは英国のコミックに登場する削岩機『EXCAVATOR』で、コミックスをそのまま参考に立体化したため、車体表面にはディテールがない。

1967年11月 - イマイ 宇宙科学シリーズ No.19

1967(昭和42)年のクリスマスは、もう『ゼロエックス号』でキマリ!!

一日一店舗、ゼロエックス号だけで300万円!

日本におけるプラモデル史を、自身が経営されていた模型屋の実体験に則して書かれた井田博・著『日本プラモデル興亡史』(文春ネスコ・刊)の冒頭は、1967(昭和42)年のクリスマスの以下のような回想から始まる。

「今年の目玉は何といってもテレビで放送されて大人気の『サンダーバード』。クリスマスを目前に控えて今井科学(以下、イマイと略記)から新製品の「サンダーバード ゼロX号(原文ママ)」が発売になったばかりだったのです。それを必死に模型問屋と交渉し、なんとか100ケースかき集めました。1ケースに24個のキットが入っていたはずですから全部で2,400個。1,200円のキットにモーターと電池をセットすると売り値は1,330円でした。」

これは半世紀以上昔のクリスマスの一コマだ。24個×100ケース、合わせて2,400個で319万2,000円の売り上げということになる。一店舗で、一日で、一品目のプラモがこれほど売れたのだ。ちなみに当時の大卒公務員の初任給が3万円に届かない時代であるから、一日で、いや半日足らずのうちにその100倍を売り上げた、ということだ。そしてさらに以下のように続く。

「クリスマス・イブの当日には売り場に綺麗に梱包された「サンダーバードゼロX号」がうずたかく積み上げられました。開店と同時にその山はどんどん減ってゆき、夕方近くにはついに※全部売り切れてしまいました。もちろん店主である私が嬉しくないはずはありません。ただそれ以上に、プラモデルが市場に登場して十年足らずでここまで成長したことに大きな驚きと、とまどいを感じていました。」(井田博／著『日本プラモデル興亡史』)。

とにかく今井科学『サンダーバード 火星探検機ゼロX号』は、かくのごとく、まさに"飛ぶように"売れたのだ。日本にプラモデルが根付いて10年目の出来事だった。

※全部売り切れてしまいました。

このため今井社長から、一日でイマイの商品を一番売った店として、金一封が出たとも書かれている。

いつ入荷するか分からないのなら、とにかくゲット!

当時筆者は小学4年生。まさにイマイのサンダーバードプラモのメイン・ターゲットだ。地元商店街で雑貨店を営んでいた父の店の並びに大きな文具店があった。正面の立派なショーウィンドーは地球儀、天体望遠鏡、そしてプラモデルが占領していた。商売がら、毎月大量の伝票や正札、マジック、模造紙などが必要で、それら消耗品はすべてこの文具店で調達しており、現金ではなく月末締めの"ツケ"で購入できた。クリスマスが近づいたころ夕方買い物に出た母の買い物かごを引っ張って、お目当てのゼロエックス号

●『サンダーバード 火星探検機ゼロX 号』(ゼンマイ・モーター1200円)

◀この小松崎茂のボックスアートは、当時映画の広告用に多用されたゼロエックス号のスチール写真を、かなり正確に再現したもの。宇宙だというのに、イマイの依頼どおりにサンダーバード2号も描き込まれている。495×305×80㎜と大きい。

▼箱の中の水色の中箱には、ギヤボックス、ゼンマイなど、プラパーツを傷つける恐れのある金属部品を収納。タスキも手の込んだゼロエックスのボックスアートを切り抜いたもの。成型色はライトブルーに赤、黒とメッキシルバー。

▲パッケージサイドの解説図。とりあえず劇中同様に5分割することは判る。

▶塗装、および形状を劇中のものに近づけた作例。

▼1,200円モーター版と、直後に発売の200円ミニ・ゼロエックス号、ゼンマイ版。いずれも無塗装状態。ミニの方は随分と機体長を詰めてデフォルメされたイメージだった。

▶モノクロがイマイのキットそのまま、カラーの機体が劇中の上面形を再現した改造作例。ウィングスパン以外はほぼ正確で当時のプラモとしては満点。

▲ミニ版のパッケージサイド解説。見落としがちだが4分割しかしないことが解説されている。

▼1968年発売のミニ・ゼロエックス号200円、初版箱とその中身。箱は1,200円版のデザインを踏襲。箱の中には押さえの厚紙があるが、ゼンマイが収まっているわけではない。機首や垂直翼がメッキシルバーだった。

▶1971年再生イマイによる再生産版。1,200円版金型を失っているのでミニを取ってゼロエックス号として販売。250円。

▼同時代のバンダイのミニシリーズの玩具。全長役130㎜のフリクション走行。100円（地方は110円）。カタログは台紙の裏。

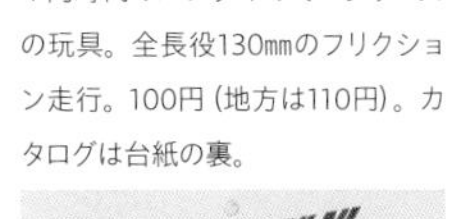

◀1974年再販は300円となったがまだゼンマイ搭載。この後に80年代90年代と仕様を変えて再販される。

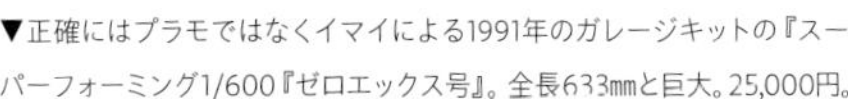

▼正確にはプラモではなくイマイによる1991年のガレージキットの『スーパーフォーミング1/600『ゼロエックス号』。全長633㎜と巨大。25,000円。

を強請ると、文具店の店長は「それなら売り切れて、ウィンドウに飾ってあるのでよろしければ」と言う。ここで買い逃したら…。そんな思いから首を大きく二回縦に振って念願のクリスマスプレゼントをゲットした。しかし伝票を切ってもらう段になって定価が1,200円と知った母は「そんなにするの!!」と声を上げた。子供の強請るプラモの上限を振り切っていたからだ。その夜、本当に枕元に置いて寝たのが思い出される。

ここまで書いてあることを思い出した。いつもはセンムと呼ばせていただいている海洋堂の宮脇修一取締役専務の話だ。父が模型店を経営されていたため、当時、プラモデルの見本市に同行したそうだ。そこでイマイのブースにて今井社長から、出来たばかりのゼロエックス号を「君が日本で一番早くゼロエックス号を手にした子供だ」として、いただいたそうだ。このように、皆、それぞれの逸話として当時のプラモデルの思い出は残っているわけだ。

子供向けプラモで1,200円は高額すぎ？

夏休みは、テレビでの再放送と、映画版の上映。さらにイマイとバンダイの共闘によって、『サンダーバード』が最高に盛り上がった時期だった。セット物として1,800円という高額商品はあったが、単体で1,200円は、ここまでのシリーズでは最高額だった。

映画版は※本国の英国では前年の1966年12月の上映だが、日本では半年以上遅れての上映だった。イマイ・スタッフがこの映画を見たのは日本での上映の直前の試写だろう。しかしやはり資料は無く参考にしたのは映画の画面だけだったが、真上からのショットがひとつもなく単純な形のように見えて、翼前縁などは独特の形状だ。立体化には苦労したと思われる。

ゼロエックス号は、本体ロケット機の先端に火星探検車、その前に耐熱カプセル、本体ロケットを宇宙まで運ぶブースター翼が2枚。それらが合体して翼幅200mを超える怪鳥のごとき巨大な2枚翼飛行クラフトとなる。映画の興奮をそのままに再現したのが、イマイのゼロエックス号だった。

当時の、特撮SF系のプラモデルは、走行するのが常、とは何度も書いてきたが、このゼロエックスは劇中同様に5体に分離合体が出来、本体がモーター走行、探検車がゼンマイ走行で、つまりひとつのキットにモーターとゼンマイが搭載されているという夢のように楽しいプラモデルだった。噴射口や機首耐熱カプセルはメッキ仕上げで、※翼の下に着くエンジンの先端コーンがミサイルとして飛ぶ、というアクション満載のイマイ最盛期の傑作プラモだ。サンダーバード・シリーズはこの年だけで400万個以上売れたとされるが、恐らくその数分の一はこのゼロエックス号の売り上げが占めているだろう。

※本国の英国では前年の1966年12月の上映

本国ではテレビシリーズ本放送終了間際の1966年12月15日に上映されたため、特にプレミアム上映時点で究極の盛り上がりを見せた。日本でも再放送、夏休みと重なり、プラモデルの商機としては最高のタイミングだった。

※翼の下に着くエンジンの先端コーンがミサイルとして飛ぶ

イマイのアクション・プラモの定番で、サンダーバード1号の機首やエンジンの先端コーンなど、シャープなディテールはお約束的にミサイルとして飛ぶように設計されていた。男の子的には、それだけでなんだか嬉しかったのだ。

1967年12月－イマイ 宇宙科学シリーズ No.20

高価すぎて手がでない・・・
そもそもどこで売ってたの？

1967（昭和42）年クリスマス直前に発売されたラジオコントロール走行（1ch1ボタン方式）サンダーバード2号は、本体の完成全長が350㎜と大きく本体は組み上げられており、ラジコン搭載済み、送信機も同梱されていたため、プラモデルではなく※ラジコン玩具ということになる。翌年発売の『サンダーバード秘密基地』2,200円が、サンダーバードプラモの最高額と言われるのは、このラジコン版が玩具とされるためだ。イマイはラジコン部門を新設し、海外への輸出に注力していたため、その一環でもあった。ロゴも英文字の『IMAI PLASTICMODEL』が配され、遊んでいる子供も白人だ。当時この商品を国内の玩具店、模型店の店頭では見掛けたことがなく、現在筆者の手元にあるものは、かつての高校の同級生から譲ってもらったものなので、彼は間違いなく1967（昭和42）年当時、これを買ったのだ。モーターも健在でまだ走行する。

またラジコン版と同じ機体からラジコンとモーター走行機能を取り除き、フリクションを搭載した異例のキット『フリクション イージー　サンダーバード2号』800円も発売。玩具店や駄菓子屋の店頭に吊るされている廉価プラモのように見えてしまうが、れっきとした『宇宙科学シリーズ』の一員だ。このキットは※後に体裁を変えて発売され続ける。

※ラジコン玩具
イマイは盛んに輸出用ラジコン玩具に力を入れていたが、それらの玩具も生産No.はプラモデルと同じキットNo.としていたため区分けが難しい。トランシーバー玩具にもキットNo.が付けられていたため文字だけのカタログではプラモデルと見極めが困難。

※後に体裁を変えて発売され続ける。
1973（昭和49）年には再生イマイによって『超特大サンダーバード2号』という名称でゼンマイ走行として再販、1980年代以降にはコロ走行として再々販され続ける。

1966⟷2021

●『ラジコン サンダーバード2号』(4,500円)
●『フリクション イージー サンダーバード2号』(800円)

▲分厚い手提げ付き段ボール箱に外箱が付いた特別仕様。小松崎茂のボックスアートもエンディングのイメージをエアブラシで再現。珍しくサンダーバード3号が描きこまれている。白人の少年は輸出仕様であるため。466×335×140㎜。

◀コンテナ底部の駆動装置。走行用とステアリング用のモーターをふたつ搭載。

▶コンテナ底のバッテリー。後輪がステアリングなのは内部に磁力牽引車等の収納スペースを設けるため。バッテリーとモーター二つとギヤボックスですごく重たい。

◀同じキットだがフリクション走行仕様。台紙は546×306㎜と大きい。箱の中には付属のミニサンダーバード4号とミニ磁力牽引車。

▼半完成のサンダーバード2号が発泡スチロールで固定され、その下に付属のサンダーバード4号と磁力牽引車が見える。水色のものがラジコンのコントローラー。

▼格納庫を表現したペーパーディオラマが付属。ただし長いアンテナのため、潜り抜けられない。

▼プロポーションは悪くないが少々胴長。駆動装置のためコンテナの底が分厚い。尾翼エンジンと噴射口がメッキシルバーだったのは、恐らく豪華感演出の意図。

Chapter 2

1968年→

サンダーバードプラモデル絶頂
イマイの倒産

マーチャンダイズ商品の台頭。しかしスケールモデルも進化した。

『サンダーバード』もヒットしたが、同時並行で『ウルトラマン』も大人気を博し、劇場版サンダーバードと同時期の夏休みにはテレビシリーズのダイジェスト編集ではあるが、※『長篇怪獣映画ウルトラマン』も放映され、それらを扱っていたマルサンは、ソフビ怪獣がブレイク、同時に怪獣プラモも大ヒットとなった。ユーザーたる子供たちにとっては、とてもすべてを追いかけきれない程のキャラクター商品が玩具店、模型店の店頭にあふれたのだ。

もはやプラモデルが盛況なのは誰の目にも明らかで、市場は拡大の一途をたどっていた。本書のテーマであるサンダーバードプラモだけに焦点を当ててきたが、イマイは、この年85種類のキットを生産、サンダーバードはその内の20点だ。また『サブマリン707』の小沢さとるの新作海洋冒険漫画※『青の6号』が『週刊少年サンデー』で連載がスタート。登場する多数のSF的潜水艦を※『ブルーサブ6シリーズ』として5月から7月に掛けて集中的に発売した。

これらが人気漫画やテレビのライセンスを取得し商品化するマーチャンダイズ商品で、この年イマイのプラモの半分以上となる。また『コンバットタンクシリーズ』という短命で終わってしまったシリーズもあったが、26億円とも言われる

※『長篇怪獣映画ウルトラマン』
1967（昭和42）年7月22日公開。テレビシリーズ『ウルトラマン』の第1話、第8話、第26話、第27話を再編集した75分作品。モノクロテレビでの視聴者が多かったことからカラーでウルトラマンが見られるということも魅力だった。

※『青の6号』
1967（昭和42）年に『週刊少年サンデー』に連載開始された『707』に続く小沢さとるによる海洋マンガ。海運の安全を守るための国際組織「青」と国際謀略組織「マックス」との戦いを描き、多数のSF的潜水艦が登場する。

※『ブルーサブ 6シリーズ』
No.1『コーバック号』50円、No.2『フリッパー1号』50円、No.3『フリッパー2号』120円、No.4『ムスカ1号』150円、No.6『マラコット号』300円。と低価格ながら水中航行のアクションプラモ。

売り上げは、これら『サンダーバード』を中心としたキャラクターものが弾き出したものだろう。

またこの年、余勢を駆って『エレクトロニクスシリーズ』なるシリーズも展開。※『エコー100』(3,000円)はプラモでも玩具でもなく、純然たるトランシーバーで、№3の『キャリナー5』(5,950円)に至っては、ポータブルのテープレコーダーである。イマイはプラモメーカーの守備範囲外のトランシーバー、テープレコーダーなどの商品までも取り扱い始めていたのだ。

※『エコー100』(3,000円)はプラモでも玩具でもなく、純然たるトランシーバー

テープレコーダーも発売していた。

1967(昭和42)年もうひとつの戦い

イマイのスケールモデルの定番はカーモデルで『ミリオンレーサーシリーズ』『グランプリシリーズ』などを展開し、ポルシェ、フェラーリ、ベンツにコルベットなど世界の名車シリーズも作っていた。その中にあって新しく展開したのが『グランプリシリーズ』だ。

昭和生まれに、昭和42年に何が起こった?と尋ねたら何と答えるだろうか。映画007シリーズが日本を舞台とし、日本で撮影されボンドカーはトヨタで、ボンドガールも日本人だった。タカラのリカちゃんが発売されたのも昭和42年だ。年平均経済成長率は11.8%に達し翌年にはGNPが資本主義国として世界第2位となる好景気。首相は佐藤栄作。X-15がマッハ6.7の有人航空機最高速度記を達成したのもこの年だ。だが誰かがこう答えるはずだ。「ホンダが優勝した!」と。

この年の9月、アジアで唯一のF-1参戦組のホンダがイタリア、モンツァグランプリで優勝したのだ。サンダーバードの開発担当でもあった技術部長の記憶では、9月段階ではそのホンダF-1マシンのプラモの発売を年末に控え、開発は最終段階まで進んでいたと言う。そこにこの“ホンダ優勝！ 世界一！”の報であるから、このキットのヒットは約束されたかに思えた。がしかし狭いプラモ業界だ。タミヤも同じ1/12でホンダF-1マシンを開発中との噂が耳に入った。タミヤはすでにスケールモデル・メーカーとしての地位を確立していたから、何か手を打たないと、このままではいけない、と考えたのだ。

現在も継承されている
タミヤのビッグスケールシリーズ。

タミヤの1/12ホンダF-1は※『ビッグスケールシリーズ』のNo.1として発売。開発期間は8ヵ月と言われ、実車の詳細な取材とホンダの協力も得て、可能な限りの精度での再現を追求し開発は進められた。今までにないゴムタイヤによるトレッドパターンの再現などに注力したのだ。完成後に製品第一号を送ったところ、本田宗一郎をして「日本の模型屋もここまでやるようになったか」『タミヤ模型の仕事 木製モデルからミニ四駆まで』田宮俊作/著 ネスコ/刊より。と言わしめたというほどその完成度、再現度は高かった。イマイの1/12ホンダF-1は、スケールも同じなら発売日もほぼ同じという状況で、箱は

※『ビッグスケールシリーズ』
タミヤが展開する1/12のカーモデル。現在も継続されており、No.11はかつてNo.1として発売されたホンダF-1のディスプレイタイプである。

1967（昭和42）年・年末商戦の行方!!
イマイvsタミヤの激突!!

◀パッケージサイド。どちらもホンダ公認だが、イマイ箱には本田技研の監修と謳われている。タミヤはモーターを排除し、ディスプレイタイプとして後年も販売し続けた。

▲1/12ホンダ F-1。左がタミヤ480×293×70㎜、1,200円。右がイマイ495×350×80㎜、1,000円とほんの少しイマイが大きい。双方ともに1967年、年末発売、本田技研公認、モーター付きだった。

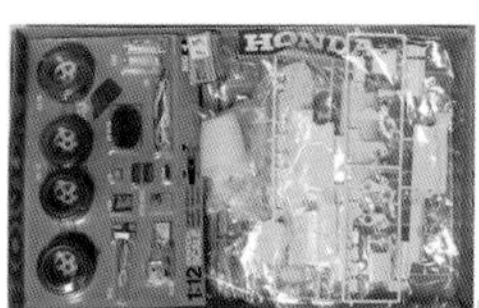

▲左がタミヤ。タイヤ、金属パーツをブルーの台紙にシュリンク。ボディカラーはクリーム。右のイマイも、黒い台紙にギアボックス、モーター、タイヤをまとめている。ボディカラーは白。双方共にタグにはHONDAの文字。

イマイのスケールモデル

設立以来イマイはたくさんのスケールモデルを生産。しかしその多くは継承されない幻のキットだが、これら3点は70年代にバンダイから再販されている。

▲1/48 ジービーレーサー。輸出ロゴのため恐らくこのまま輸出もした。

▲1/50モーターライズ・チーフテン戦車。背景を切り取ったホワイトイメージの輸出用箱。

▲1/72 YS-11。日本航空機製造株式会社・監修。バンダイからの再販版もある。

イマイの方がやや大きいが、タミヤが1,200円、イマイが1,000円となった。

バッティングを予期したイマイの開発部長は、ある意味奇を衒って今までにない縦型レイアウトのパッケージアート、およびパッケージデザインを選択したのだが、なんとタミヤも同じ縦型のパッケージで発売。しかも同じホワイトイメージのパッケージのキットが1967(昭和42)年、年末商戦に模型屋の店頭に、ほぼ同時に並んだのだ。

このホンダF-1は同時代にミニカーや玩具にもなって人気を呼んだし、※スケールモデルではバッティングは常であったが、それにしても真っ向の衝突だった。イマイもホンダの承認を取っており、パッケージサイドには「本田技研の監修による1/12完全スケールモデルです」とのコピーが踊る。イマイのキットも決して出来は悪くはなかったが、イマイのパーツ数120点に対し、タミヤは193点で、タミヤのキットに注目が集まり、イマイのキットは影が薄い。また日本のプラモ史を振り返る時、ほぼ必ずこのタミヤの1/12ホンダF-1はエポックメイキングな一品として語られることが常である。

その後、このタミヤ版はモーター走行機構を排除し、同じパッケージアートで販売し続けたのに対し、イマイ版は1969(昭和44)年に倒産の際、金型がバンダイ模型に受け継がれ、バンダイ模型が70年代に再販している。このイマイ

※スケールモデルではバッティングは常であった

多くのメーカーが『零戦』を、戦艦『大和』を発売していた。スケールモデルでは同じアイテムがバッティングすることはよくあるが、初キット化で双方ともホンダの協力を得て、同タイミングで、同じ1/12で、ここまでの“モロカブリ”ということは珍しい。

版には国内版、輸出版、そしてバンダイ版にも国内版と輸出版があったが、現在はいずれも幻のキットとなっている。

ここまで精密でパーツの多い大型スケールのキットを開発するには、メーカー自体に体力がなくては難しい。当時のタミヤとイマイはそういう意味でも、トップランナーだったと言える。各メーカーの個性や業態が定まり、それはユーザーにも深く浸透していた。タミヤはスケールモデル・メーカー、イマイはマスコミプラモの代表格、というようにだ。しかし創業以来の売り上げを計上したイマイは、輸出用のラジコントイや前述のトランシーバー等の電子玩具、そしてスケールモデルでも成功を夢見た。

このイマイのホンダF-1は、そういう意味で、イマイの絶頂期のアダ花的キットと言えるかもしれない。ゼロエックス号と同じ時期に発売されたのだが、こちらは永遠の幻のキットとなってしまった。

1966 ⟷ 2021

プラモデルの作り方

かつてほとんどの工業製品には“原型”としての“木型”が必要だった。シャンプーのボトルにも、エンジン類のパーツにも、そしてプラモデルにもだ。『サンダーバード』などのプラモデルを開発していた時代、その原型には大抵“ほうの木”が使われていたと言う。

サイズ、仕様などの企画が決まり木型図面が書き起こされると、その図面に則してほうの木を使った“マスター木型”というものが作られる。それを“デブゴン”というアルミ粉入りの樹脂で型取りして反転する。これが金属ほどの固さを持つ凹の雌型となる。この雌型を“ナライ”と呼ばれる立体彫刻機で金属の金型に写し取っていく。つまりマスター木型の出来如何でキットの外観の良し悪しが決まってしまうのだ。街には“木型屋”と俗称される外注職人がいて、さまざまな原型や見本などを請け負っていた。

イマイの場合、アクションプラモが多かったため、図面や“マスター木型”作成以前に、モーターやゼンマイを実際に仕込んだ、動く見本を作成していたと言う。

金型も外注

社内に金型のメンテナンス部門はあったが、金型の製作自体は外注であった。この金型には雄と雌がありそれらを合わせた隙間にスチロール樹脂を高熱で溶かし高圧で注入して生産する

“インジェクション（射出）成型”方で生産する。同時に多数生産する必要に迫られた時に金型の“複製”を用意した。これを“増し型”と呼び、最初の250円サンダーバード2号やジェットモグラに、この“増し型”があった。

金型は金属の塊であり、小さいものでも小型のクレーンなどがなくては取り回しができず、倉庫などに収納するにしても物理的に体積を取るため、サンダーバードのようにシリーズが数十アイテムも続くとその保管・管理だけでも相当の手間と管理費が必要となる。また当時金型は保有していると資産勘定となったため、ある一定期間再使用しない金型は溶接機などで※表面を溶かして使用不能状態にして破壊していた。

※表面を溶かして使用不能状態

金型の表面を破壊して使用不能としたもの。どうやらごく初期の戦艦の金型のようだ。

アクションプラモでは
プラスチック成型パーツ以外も重要。

実は金型で製品化できるプラスチック部品は、アクションプラモの場合、パーツの一部に過ぎない。それ以外のパーツの大半は外注業者への発注品となる。従って再版する場合には、金型をメンテナンスして再稼働するだけではなく、それ以外のパーツを、図面などを引き直して外注へ発注しなくてはならない。転写マークは、印刷の際に元となる“版下”を再度製作することとなる。オリジナルのギヤボックスなどを再生産、依頼するにも、図面や指示書を保管しておくか、または図面や指示書を描き直し生産を依頼しなくてはならない。

※再販時にはギミックをオミット

再生イマイとなってからの再版アイテムの大半は、かつてモーター駆動だったものをゼンマイに、かつてゼンマイ駆動であったものをコロ走行としたものが多い。

当時のイマイプラモ　ニュースより
木型から射出成型工程までを簡単にまとめた記事。

当時のイマイ・モデル・ニュースより。プラモデル製品の製作工程を解説している。ドラフターによる作図から始まり、原型はノミや彫刻刀、そして金型も全て手作業で製作していた。職人技が要求される。基本原型も原寸だった。社員には制服があり整然としている。

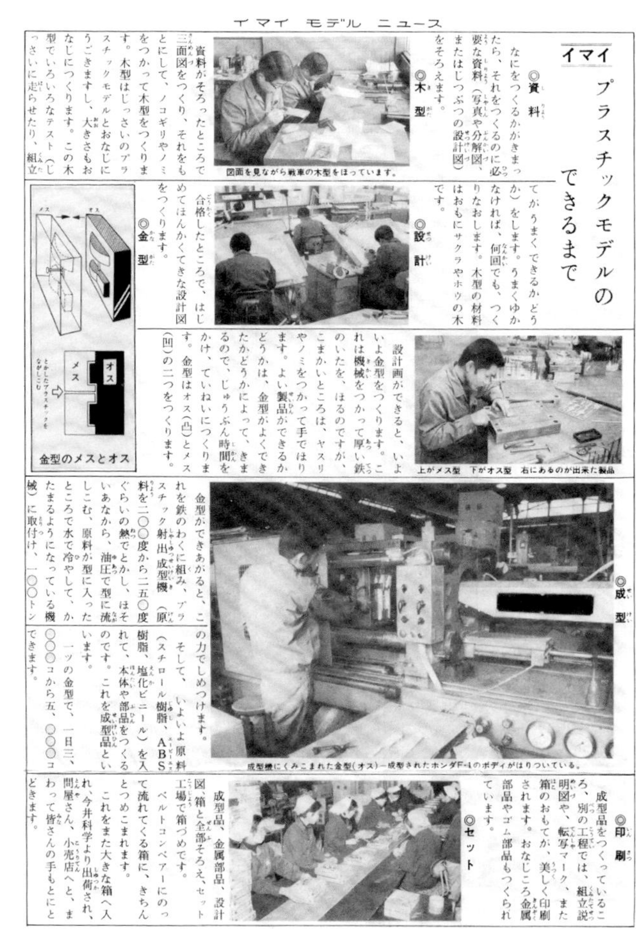

イマイ　モデル　ニュース

イマイ　プラスチックモデルのできるまで

◎資料

なにをつくるかがきまったら、それをつくるのに必要な資料（写真や分解図、またはじつぶつの設計図）をそろえます。

◎木型

資料がそろったところで三面図をつくり、それをもとにして、ノコギリやノミをつかって木型をつくります。木型はじっさいのプラスチックモデルとおなじにうごきますし、大きさもおなじにつくります。この木型でいろいろなテスト（じっさいに走らせたり、組立てがうまくできるかどうか）をします。うまくゆかなければ、何回でも、つくりなおします。木型の材料はおもにサクラやホウの木です。

図面を見ながら戦車の木型をほっています。

◎設計

合格したところで、はじめてほんかくてきな設計図をつくります。

◎金型

設計画ができると、いよいよ金型をつくります。これは機械をつかって厚い鉄のいたを、ほるのですが、こまかいところは、ヤスリやノミをつかって手でほります。よい製品ができるかどうかは、金型がよくできたかどうかによって、きまるので、じゅうぶん時間をかけ、ていねいにつくります。金型はオス(凸)とメス(凹)の二つをつくります。

金型のメスとオス

上がメス型　下がオス型　右にあるのが出来た製品

◎成型

金型ができあがると、これを鉄のわくに組み、プラスチック射出成型機（原料を二〇〇度から二五〇度ぐらいの熱でとかし、ほそいあなから、油圧で型に流しこむ、原料が型に入ったところで水で冷やして、かたまるようになっている機械）に取付け、一〇〇トンの力でしめつけます。

そして、いよいよ原料（スチロール樹脂、ABS樹脂、塩化ビニール）を入れて、本体や部品をつくるのです。これを成型品といいます。

一ツの金型で、一日三、〇〇〇コから五、〇〇〇コできます。

成型機にくみこまれた金型(オス)ー成型されたホンダF-1のボディがはりついている。

◎印刷

成型品をつくっているころ、別の工程では、組立説明図や、転写マーク、また箱のおもてが、美しく印刷されます。おなじころ金属部品やゴム部品もつくられています。

◎セット

成型品、金属部品、設計図、箱と全部そろえ、セット工場で箱づめです。ベルトコンベアーにのって流れてくる箱に、きちんとつめこまれます。

これをまた大きな箱へ入れ、今井科学より出荷され、問屋さん、小売店へと、まわって皆さんの手もとにとどきます。

1968（昭和43）年はSFの年？

前年の『火星探検機ゼロエックス号』の大ヒットの記憶も新しいこの年、イマイは年頭で、「今年はSFの年」と公言する。そして『サンダーバード』の制作スタジオが放つ※『キャプテンスカーレット』のプラモ化権を取得し、加えて日本特撮の第一人者、円谷英二による特撮テレビドラマ※『マイティジャック』のプラモ化権も取得。イマイはこれら3大特撮番組を完全に独り占めした様相だ。利益を上げたのだから、企業として次年度の新展開に投資するのは当然だろう。

『サンダーバード』のヒットは同業他社も大いに刺激しSF系メカだけに絞っても、他社商品は80点を超え、また※マルザンは『ウルトラセブン』の地底戦車『マグマライザー』、『2001年宇宙の旅』からは※スペースシャトル『オリオン号』なども果敢にプラモ化。ミドリは『海底大戦争スティングレー』を、タミヤもSFボートシリーズというシリーズを展開していた。

だがその中心はやはり『ウルトラセブン』『サンダーバード』『キャプテンスカーレット』『マイティジャック』といったテレビ発のメジャー・キャラクターで、イマイは市場占有率を20%と公言している。30社ほどのプラモメーカーが乱立していた時代である。

こうしてSFメカはプラモ市場に一角を築き、それは後の『ガンプラ』へと届く流れとなって

※『キャプテンスカーレット』
森永製菓提供で1968（昭和43）年1月から放送。主人公スカーレットはサンダーバードでスコットを演じた中田浩二。サンダーバードは子供の観る番組として道徳的にという配慮があったが、転じてシリアスなSFスパイアクションとなり、メカデザインもさらに洗練された。原題はCaptain Scarlet and The Mysterons。

※『マイティジャック』
1968（昭和43）年4月6日からフジテレビにて放送された一時間枠番組。円谷特技プロダクション製作の大人に向けた意欲的特撮。13話放送終了後、『戦え！マイティジャック』と改題し30分枠×26話が放送。

※マルザン
玩具、プラモデルを生産するマルサン商会は、1967（昭和42）年にマルザンに改名。1968（昭和43）年に倒産。しかし1969（昭和44）年にマルサンとして再建する。

※スペースシャトル『オリオン号』
1968（昭和43）年のスタンリー・キューブリック監督によるSF映画『2001年宇宙の旅』（原題2001: A Space Odyssey）に登場するパンアメリカン航空の宇宙往還式スペースシャトル。タイヤ走行プラモだった。

行く。

『サンダーバード』のプラモ、玩具などの盛況ぶりはいろいろな余波を生じ、特に『サンダーバード』の次回作としての『キャプテンスカーレット』には多大な期待が寄せられた。『サンダーバード』初期の、資料が全くなかった様相とは逆で、少年誌には特集が組まれコミカライズも進行、撮影で使用された貴重な撮影用モデルもわざわざ日本にやって来た。このためイマイの新作プラモは、当時としては作中のそれらに、非常に良く似ていた。そういう意味でイマイは企業努力を続けていたと言え、期待も膨らんだ。

しかし『サンダーバード』の大ヒットに対抗し、同業他社も多くのオリジナルメカ·プラモを発売した。オリジナルのデザイン・設計であればライセンス契約は必要ない。各メーカーともに創意工夫したアクションを搭載した特にSF戦車が主流だった。中には後の世界的イラストレーター長岡秀星によるメカなどもあり、そういう意味では群雄割拠の時代であり、各メーカーもさまざまにアイデアを投入してオリジナルメカ・プラモを生産し、市場は図らずもイマイの提唱したSFプラモの年となったと言えるが、※イマイ自身もオリジナル·メカを生産しており同時に飽和状態を招いてしまったとも言えるだろう。

※イマイ自身もオリジナル·メカ

上はイマイ·オリジナルのSF戦車シリーズNo.2『スパイダーM2000T』

下はSF戦車シリーズNo.3『ジグラートM2000T』。アクション満載のSF戦車たち。

1968年2月－宇宙科学シリーズ №.21. 22. 23

二年目に突入したサンダーバード・シリーズは小さめで？

サンダーバード2号（250円）からクリスマスのゼロエックス号（1,200円）まで、※売れ筋と思われるアイテムを発売し終えた感のある1968（昭和43）年、年頭に“ミニミニシリーズ”と銘打ったシリーズを発売。これはすでに発売したアイテムの廉価版を発売していくという企画で、いずれもミニゼンマイで走行する。すでに新シリーズの『キャプテンスカーレット』『マイティジャック』商品の発売直前だが、サンダーバード商品も販売を継続した。

廉価版としたのはより低年齢層に裾野を広げる作戦で、値段を下げ、パーツ数も減らし、組み立て易く、そして形状は作中のそれに似せることにはあまり注力していないうえに独自の省略も成されていた。それでもサンダーバード2号はコンテナの着脱、脚の取り外し、サンダーバード4号は船首照明器が上へ跳ね上がり、ジェットモグラはドリル本体が取り外せドリルは手動での回転が出来た。ただタンク部分のクローラーはパーツ数削減のため一体成型となっており、腹にゼンマイ駆動輪が付いていた。つまり、あまり細かいことは気にしない年少者向けシリーズで、「お兄ちゃんが持ってるサンダーバード、ボクも欲しい」という向きへの訴求である。ゼンマイは軽快でよく走った。

※売れ筋と思われるアイテム

当時の査定基準は判らないが、ビデオや録画機材がない時代だったので基本、複数回登場するアイテムでないと知名度が無く、登場するメカをすべて発売すれば売れたわけではない。

●『サンダーバード ミニ2号』『ミニ ジェットモグラタンク』『サンダーバード ミニ4号』
（ゼンマイ・各100円）

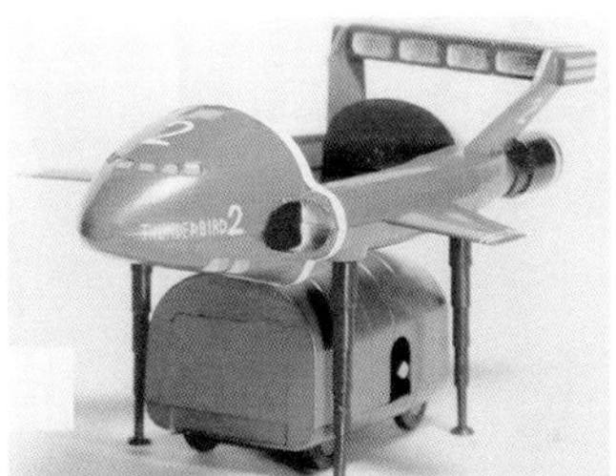

◀250円2号を縮小したような商品。全体的にデフォルメ感がある。コンテナ着脱式だが、横にゼンマイのシャフトとそのための穴が見え、コンテナの扉は開かない。パッケージは離陸シーンのスチールを参考にしている描き起こし。

THUNDERBIRD 4
C.I.T.P　INTERNATIONAL RESCUE 宇宙科学シリーズNo.23
サンダーバードミニ4号

▶サンダーバード4号とジェットモグラのパッケージ・イラストは既存のキットからの流用で、背景の一部を切り取ったホワイトイメージ的なデザイン。サンダーバード2号だけが描き起こしだった。子供向きだが商品名などに欧文を多用しており当時としては洒落ていた。

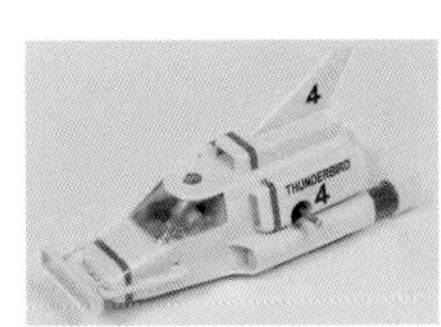

▲サンダーバード2号は機体のモールドカラーが作中のそれに似ていた。サンダーバード4号は250円版の形状をそのまま受け継いでいて細身でシャープ。ジェットモグラは転輪、シャシーが一体成型と成っているが頑張ってディテールの再現に努めていた。いずれも小型のゼンマイにより走行する。

1968年2月-宇宙科学シリーズ No.24. 25. 26. 29. 30

PODをコンテナと呼んだのはイマイなの？

サンダーバード2号の胴体中央の装備を、言語では“POD”、翻訳では“装備”だ。しかしこれらを“コンテナ”と呼んだのは今井科学だと言われている。国鉄では5000形と呼ばれる直方体のコンテナが輸送に使われており、これから採ってコンテナとしたとしたそうだ。

一番最初のサンダーバード2号（ゼンマイ250円）に換装可能な同サイズのコロ走行で、それぞれに3両ずつミニメカが付属して各100円。低価格なので子供たちも５つ全部集めることが出来た。箱サイズは200×120×40㎜に統一されていた。このシリーズは人気があり、この後も再販を繰り返し、倒産後、再生イマイとなって再起動した初年度も、このシリーズだけで売り上げを上げたという。付属のミニメカは半分以上が元ネタはあるもののイマイのアレンジで※作中に登場するヘリジェットなども付いていた。

ここでも小松崎茂のボックスアートは魅力的で、それぞれのメカを細かく描写しており、背景のイメージも被らないような配慮が見られる。イマイはこのように作中のメカの魅力や機能を、余すところなくうまく商品に反映していたと言える。

※作中に登場するヘリジェット
サンダーバード世界をある意味で象徴する、回転ローターを持たないジェット推進のヘリ。作中、いろいろな役割を負って頻繁に登場するが、救助隊のメカではない。

1966
2021

●『サンダーバード コンテナ No.1〜5』(各100円)

コンテナ No.1

◀初版箱のサイズは200×120×40㎜だが、小松崎茂のボックスアートには壮大でわくわくさせられる。5つとも背景のイメージを変える配慮がなされていた。人気メカを5つに振り分けている。

▶中身はシンプル。コンテナと3台のミニメカだが、ミニメカはカラフルにランナーごとに成型色を変えていたので楽しい。パトロールヘリとエックスカーがブルー、ジェットブルドーザーがオレンジだった。いずれのコンテナもゼンマイなどの動力は無し。

コンテナ No.2

◀▲人気のジェットモグラと磁力牽引車、そしてヘリジェットのセット。ここでもサンダーバード2号が必ず描きこまれている。背景は雪山と沸き立つ雲。メカの成型色はブルーとオレンジ。

▼再生イマイとなった後の1983年再販時に価格が200円となったシリーズ。商品名がコンテナ1、コンテナ2に変更。特別な仕様変更はないが物価の上昇に伴った値上げだ。

■サンダーバード2号コンテナシリーズ　各¥200

▼コンテナNo.3はペネロープ号、サンダーバード4号、救難へりのセット。背景は海となり、成型色はレッド、オレンジ、ブルーとカラフル。本来4番コンテナがサンダーバード4号のみの専用だが、そこは商品的なアドリブで。

▼コンテナNo.4は化学消防車、人命救助車、アランのレースカーで、アランの愛車以外はテレビシリーズには登場しないメカ。やはりオレンジ、レッド、ブルーの成型色。背景は油田の炎上現場だろうか。

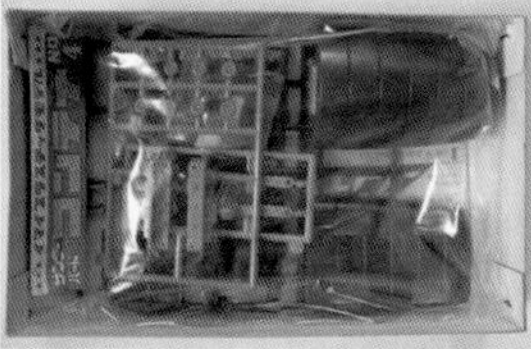

▼コンテナNo.5は電波放射機、運送砲車、鉄のつめタンクと、作中のメカだが、運送砲車以外はどういう訳か形が極度に簡略化されていていずれもクローラー車体がタイヤに代えられていた。背景は夕焼けの岩石地帯。

▼コンテナメカ総集合。中央の3台のエレベーターカーは、この5つのコンテナ・シリーズには含まれず250円スタンダードサンダーバード2号にしか付属していない。

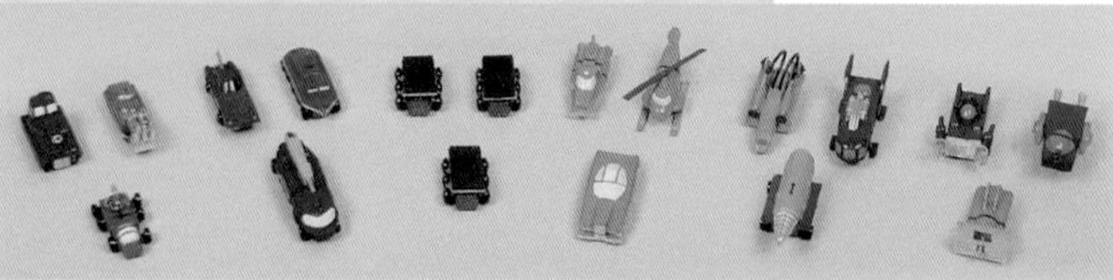

1968年2月－宇宙科学シリーズ No.28

ミニメカたちは早くもセット売り!!

年頭から展開していたミニミニシリーズの3点、『ミニ・サンダーバード2号』『ミニ・サンダーバード4号』『ミニ・ジェットモグラタンク』各100円シリーズを詰め合わせ、それらにペーパーディオラマを同梱したセット商品だ。商戦時期に展開した人気プラモ詰め合わせ、プラス、ペーパーディオラマを加えることで付加価値を付ける、というコンセプトがすでに定着した感がある。

ペーパーディオラマは完成した後、それを使用してプラモを展示可能。背景の岩にサンダーバード1号、サンダーバード5号が描きこまれていた。コンセプトはパノラマセットと全く同じだが、なぜか※パノラマセット・シリーズではないのは不思議。価格も350円で他のパノラマセットと比べて一桁違いで随分とお手軽だ。それぞれのキットにゼンマイが付属する。

パッケージは250円サンダーバード2号、450円ジェットモグラ、200円サンダーバード4号、3点の箱絵を流用してあるが、ジェットモグラが中心に大きくレイアウトしてあるため、ぱっと見、セット内容が判りずらい。箱を開けるとパーツがぎっしり詰まっている感があり、いっぺんに3台揃うのは子供としてはとても嬉しい。価格の割には満足感があったかもしれない。

※パノラマセット・シリーズではない

イマイは多くの製品を発売していたので、一度発売したものを後に別のシリーズに加えたりもした。しかしパノラマシリーズは面白かったが短命に終わってしまった。

●『サンダーバード ミニ3点セット』(ゼンマイ・各350円)

◀既存のボックスアートの寄せ集めだが、人気のジェットモグラを中心にしたホワイトイメージのパッケージはインパクトがある。どう見てもパノラマシリーズだが通常の『宇宙科学シリーズ』だった。3台ともゼンマイ搭載で走行する。折り畳み式（組み立て式）のペーパーディオラマを付属させてバリューをアップと言うのは見事な作戦。

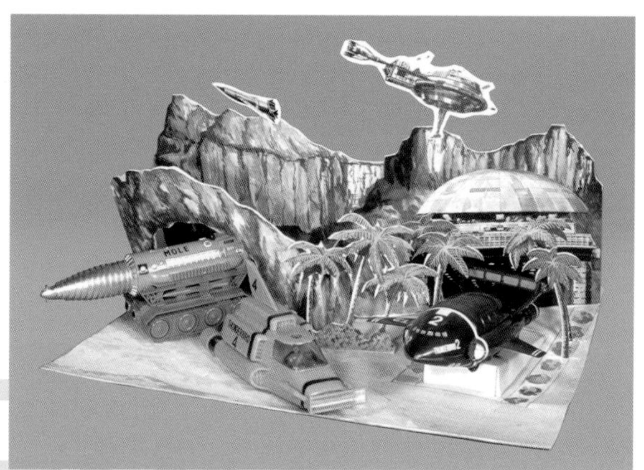

▲ペーパーディオラマ完成後。サンダーバード2号には傾斜した発射台があり、また背景にサンダーバード1号とサンダーバード5号が描かれているため、これでサンダーバード1～サンダーバード5号が揃ったこととなる。

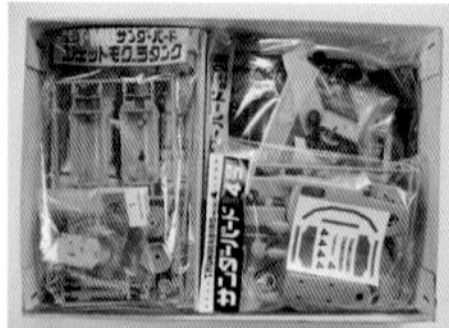

▲箱内には仕切りがあり、3つのキットがそれぞれタグ付きの袋に入っていた。キットの底にペーパーディオラマが収納されており、ヤシの木などはカットアウトの後、組み立てる。ゼンマイなど備品にはひとつずつ検査証が付けられていた。

1968年3月－宇宙科学シリーズ No.27

サンダーバードプラモ絶好調！
昭和のエポック的プラモデルついに登場！

『火星探検機ゼロエックス号』1,200円の倍近い『サンダーバード秘密基地』2,200円が発売された。昭和プラモデル世代が目を輝かせて語る『夢のようなプラモデル』のひとつだが、当時小学4年生の筆者はこのプラモの発売を漫画雑誌の広告で知り、そこに書かれていた2,200円という表記が、一桁間違えている、と思ったほどの、高額商品だ。大卒初任給が29,100円の時代であったからその1/13ほどの価格ということだ。人気メカを出し終えた後に真打登場だが、ボーナス時期ではなく新学期スタート時期の発売だった。

島自体をプラモデル化するという大胆なアイデアと、ボタンを押すとサンダーバードメカが次々と自動発射するという仕掛けが素晴らしく、この商品は当時の子供たちの憧れのアイテムだった。街の玩具屋などの個人店では入荷するにも一考する高額商品である。

モーターふたつ搭載、
配線も塗装も完了という半完成品！

日本が国産初のプラモデルを生産し始めてほぼ10年が経った。プラモデルは時代の花形で、大人も子供も作ったと言っていい。イマイは※低年齢でも組み立てやすいように、モーター組み込み配線済みのキットを『イージーキット』と銘

※低年齢でも組み立てやすいように、

初版では、動力機構は組み込み済みであったが、後年の再販ではモーターの組み込みや配線をユーザーが行うこととなった。つまり初版だけが動力組み込み済みのイージーキットだった。

●『サンダーバード 秘密基地』(モーター・2,200円)

▲とにかく大きい690㎜の箱は、メインのパノラマ絵が小松崎茂、キャラクターが高荷義之というまさかの昭和2大プラモ箱絵師による師弟共作!! ここでもパッケージは輸出用と見違える欧文タイトル。ただし総英文表記による輸出版は別にあった。

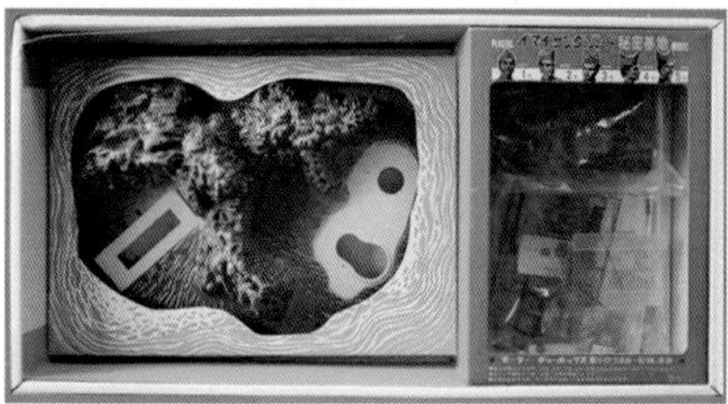

▲島本体は海をイメージした型紙によって押さえられているという豪華仕様。仕切られた内箱に、組み立てが必要なパーツが入っていた。

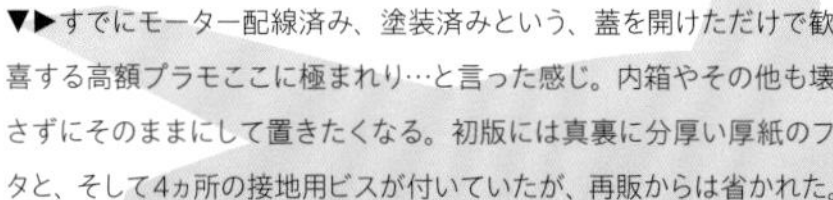

▼▶すでにモーター配線済み、塗装済みという、蓋を開けただけで歓喜する高額プラモここに極まれり…と言った感じ。内箱やその他も壊さずにそのままにして置きたくなる。初版には真裏に分厚い厚紙のフタと、そして4ヵ所の接地用ビスが付いていたが、再販からは省かれた。

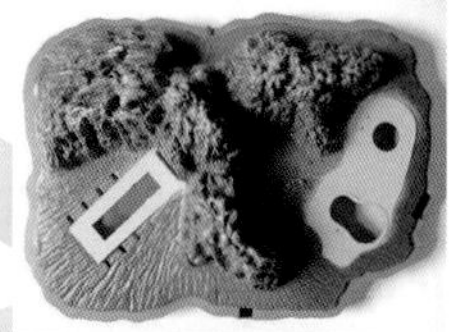

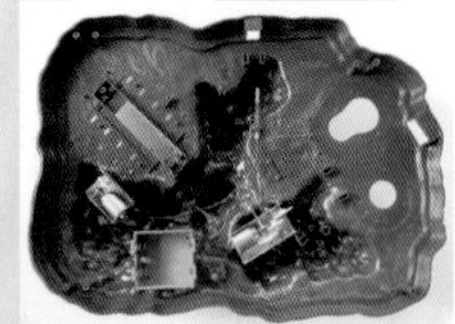

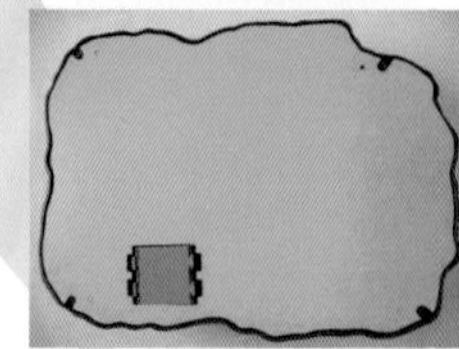

▼イマイに残されていた広告用の当時のポジフィルムの使用されなかったアングル。塗装は量産品ではなくテストショットか、量産品に手を加えたものと思われる。トレーシー邸の屋根やプール周りがモダンに塗り分けられている。初版はブルーの土台部分が分厚いのが特徴。

打って発売したことは解説したが、これは、サンダーバードの『宇宙科学シリーズ』以外に、『イージーキットシリーズ』というシリーズが別にあり、この年、少年サンデーの人気漫画『スーパージェッター』に登場する『流星号（550円）』、スケールモデルの『1/35 M-41戦車』『1/35 4号戦車G』などキャラクターものとスケールモデルを取り混ぜて発売しており、ひとつの路線としようという意図が見える。

この秘密基地は、異例なことにモーターふたつ搭載。そのモーター、ギヤボックスなどの稼働装置と電池ボックスは配線済みであり、島自体がブラウンの一体成型で、そこに山裾がグリーン、山頂がグレーで塗装済みでもあったため、言わば半完成プラモというわけだ。また※長辺が690㎜と、箱も並はずれに大きく、もの凄い迫力だった。当時身長120㎝ちょいの、筆者の1/2以上である。

アクションプラモを得意としていたイマイは、サンダーバード秘密基地のさまざまなギミック、つまりプールが開いてサンダーバード1号が発進し、ヤシの木が倒れて滑走路となり、カタパルトが傾斜してサンダーバード2号が発進する。ラウンドハウスと呼ばれる別邸の中心からサンダーバード3号が発射、という仕掛けを、このプラモデルで再現したのだ。

またサンダーバード2号のカタパルト左右にある照明灯のようなものは、劇中に一度しか登場しない非常消火栓であり、このように劇中のディテールも

※長辺が690㎜
恐らく当時のプラモデルでは最大と思われる。ただキット自体の完成全長よりも箱がだいぶ大きかった。

1966 2021

よく再現していた。ただテレビシリーズでは、島全景の正確な形、各施設の位置関係が判らなかった。島は遠景モデルしかなく、サンダーバード1号〜サンダーバード3号、の発射施設のセットは、それぞれ別に作られていたので、それぞれの配置は不明だったのだ。そのため、向かって左にあるはずのサンダーバード3号発射施設が、イマイの秘密基地では向かって右に配置されてしまっていた。

初版は底には厚紙によるフタがあり、設置用のビスも付随していたが再版、再再販時には省略されてしまった。

パッケージは異例の師弟共作?!

パッケージの迫力のパノラマ絵は、サンダーバード御用達の小松崎茂画伯、そして5人の隊員たちのバストショットは高荷義之画！という、なんとパッケージアートの巨匠2人による師弟共作という異例の豪華さで、これはサンダーバードプラモ担当だった開発部長のアイデアによるものだ。箱も他のものより分厚く、箱の中には島本体を押さえる厚紙もあった。とにかく思い切った大きさと価格が大胆だった。

島の一体パーツ自体が最大幅400㎜と大きかったため、自社工場では成型できず、自動車のコンソールなどの大型樹脂パーツを抜く専門の射出工場に発注したが、島の岩肌のゴツゴツ感を再現するための凹凸が負荷となり、テストショットで金型から成型物を抜く際に、激しい炸裂音がして驚いたと言う。

◀少年誌の裏表紙の全面広告。リアプロジェクションだろうか。逆光気味で商品のディテールをあまり見せない演出は子供向けの商品としては異例。いわゆるイメージ広告でなかなか洒落ている。

▼当時のカタログより。前ページのポジとの続きショット。ディテールは判るがただ実際の大きさは判らない。塗装済み完成体だ。

▶サンダーバード秘密基地発売を告げる当時のイマイモデルニュース。作り方などが細かく解説されているが、トレーシー邸やサンダーバード機たちは塗装する必要があったため、配色も指示されている。当時はまだプラモデル専門誌は存在しなかったためメーカーが独自で指南ということだ。

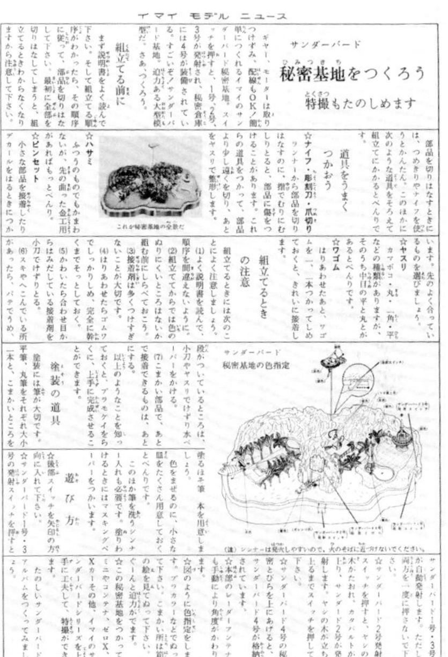

イマイ モデル ニュース

サンダーバード

秘密基地をつくろう

特撮もたのしめます

ギヤー、モーターは取りつけずみ、配線もOK！簡単につくれるイマイのサンダーバード秘密基地。スイッチを押すと、1号、2号、3号が発射され、秘密倉庫には4号が装備されている。すごいぞ！サンダーバード基地。迫力ある大型模型だ。さあ、つくろう。

組立てる前に

まず説明書をよく読んで下さい。そして組立てる順序がわかったら、その順序に従って、部品を切りはなして下さい。最初に全部を切りはなしてしまうと、組立てるときわからなくなりますから注意して下さい。

部品を切りはなすときには、つめきりやナイフを使うとかんたん。このほかに次のような道具をそろえて組立てにかかるとべんりです。

道具をうまくつかおう

☆ナイフ・彫刻刀・爪切り
ランナーから部品を切りはなすのに、指でむりにむしりとると、部品に傷をつけることがあります。これらの道具をつかって、部品より少し遠くを切り、あとをヤスリで整形します。

これが秘密基地の全景だ

☆ハサミ
ふつうのものでもかまわないが、先の曲った金工用があればもっとべんり。

☆ピンセット
小さな部品を接着したりデカールをはるときにつかいます。先のよく合っているものを選びましょう。

☆ヤスリ
カマボコ・丸・三角・平などの種類がありますが、そのうち中目の平と丸とがあるとべんりです。

☆ワゴム
はりあわせたあと、ワゴムを一、二本つかってしめておくと、きれいに接着します。

組立てるときの注意

組立てるときには次のことによく注意しましょう。
(1)よく説明書を読んで、順序を間違えないように。
(2)組立ててからでは色のぬりにくいところはないか組む前にしらべておこう。
(3)接着剤は多くつけすぎないことが大切です。
(4)はりあわせたらゴムワでしっかりしめ、完全に乾くまでそっとしておく。
(5)かわいたら合わせ目からはみだしている接着剤を小刀でけずりとる。
(6)スキやへこんでいる所があったら、パテでうめ、段がついているところは、小刀やヤスリでけずり水ペーパーをかける。
(7)こまかい部品で、あとで接着できるものは、あとにする。
以上のようなことを知っておくと、プラモケイをらくに、上手に完成させることができます。

塗装の道具

塗装には筆が大切です。平筆、丸筆をそれぞれ大小一本と、こまかいところを塗るは[illegible]筆 本を用意しましょう。
色をまぜるのに、小さな皿をたくさん用意しておくとべんりです。
このほか筆を洗うシンナー入れも必要です。塗りわけるときにはマスキングペーパーをつかいます。

サンダーバード
秘密基地の色指定

(注) シンナーは発火しやすいので、火のそばに近づけないでください。

遊び方

☆後部スイッチを矢印の方向に入れて下さい。
☆サンダーバード1号・3号の発射スイッチを押すとサンダーバード1号・3号が自動発射します。ただし両方を一度に押さないで下さい。
☆サンダーバード2号発射スイッチを押すと、ヤシの木がたおれ、カタパルトが上り、サンダーバード2号が発射します。ヤシの木が立ち上るまでスイッチを押して下さい。
☆サンダーバード4号の秘密とびらを上にあげると、サンダーバード4号が格納されています。
☆本部のレーダーアンテナも手動により角度がかわります。
☆図のように色指定をします。ブラカラーなどでぬって下さい。こまかい所は箱の絵を見てぬって下さい。ぐーんと迫力がでます。
☆この秘密基地をつかってミニやコンテナ、ゼロX、Xカーその他、イマイのサンダーバードシリーズを上手に工夫して、特撮ができます。
たのしいサンダーバードアルバムをつくってみましょう。

▼同じく当時のファイル型カタログより、背景もライティングも同じなのでやはり続きショットだろう。

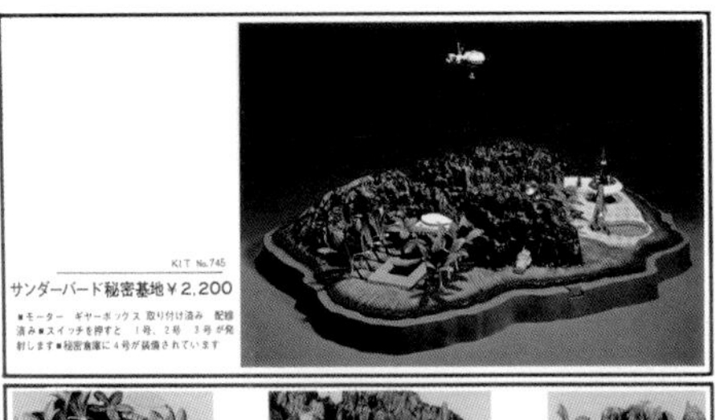

プラモデルなのに配線済み、塗装済みという試みは新しく、低年齢層向けにこの路線の成長を考えていたはずだ。しかし、このキットを最後に、その後好調なシリーズが生まれなかったこともあり、この路線は継承されずに幕を閉じてしまう。

秘密基地とはなにか？

正しいことをしているのに正体を隠すために大変な仕掛けやカロリーを使う、ということがリアルなのだ、と言うことを特撮番組においては『サンダーバード』が広めたのは間違いない。秘密のアジトは本来、悪人の専売特許なはずなのだが、第一話冒頭で隊長のジェフが語っているように、サンダーバードの進んだ技術を悪用しようとする輩が居る限り、それらは極秘としなくてはならない旨を語っている。

この魅力あるプラモを語るならば、作品中の秀逸な設定に言及しなくてはならない。絶海の孤島を所有し、秘密裏に国際救助隊の活動拠点としている、というダイナミックさがまずは魅力的だ。実は"無償で人命救助を行う救助隊の秘密基地"となっているという好対照を際立たせている点こそが秀逸であり本来の感動の源なのだ。毎週、作中でサンダーバード・マーチとともにスクランブルするサンダーバード機たちのその興奮を、そのままプラモデルにしたこのキットは、当時幸いにも入手できた子供たち、あるいは入手できなかった子供たちにとって永遠の憧れである。

1966 ⟷ 2021

1968年8月〜9月－サンダーバード・シリーズ №31. 32. 35

ジェットブルドーザー、磁力牽引車は初めてのプラモ化だ!!

シリーズ名が『サンダーバード・シリーズ』に変わったぞ!

サンダーバードプラモはこのキットから宇宙科学シリーズではなく、※『サンダーバード・シリーズ』に改められた。これは同時期に『キャプテンスカーレット・シリーズ』『マイティジャック・シリーズ』の展開が始まったためで、宇宙科学シリーズは一応継続されるが、『サンダーバード』ではないオリジナルのSFメカなどがラインナップされていくこととなる。

救助ビークルの代表格であるはずのジェットブルドーザー、磁力牽引車は、コンテナ・シリーズに付属したミニメカを除けば、これが初めての単独でのプラモ化だ。しかし『ジェトモグラタンク』450円のモーター搭載がスタンダードだとすると、この二台の救助ビーグルは、このゼンマイ駆動ミニサイズ版しか製品化されず、反してテレビには登場しないエックスカーは、モーターライズ版も発売されたことになる。

しかしジェットブルドーザーの方は、実はスタンダード・サイズが企画され製作されたが、途中でショベルを取り払い、※オリジナルの『SFミサイル戦車・ジグラート』として商品化されてしまった。当時、輸出向けアイテムが必要だったので、そのための転進なのかもしれない。

※『サンダーバード・シリーズ』に改められた
最初から『バットマン・シリーズ』などのように作品名で区分けされたものと、途中から『サンダーバード・シリーズ』としたものがあるが、その後も『宇宙科学シリーズ』は継続されオリジナルSF戦車などが加わった。

※オリジナルの『SFミサイル戦車・ジグラート』
1968（昭和43）年3月発売のオリジナルプラモ、宇宙戦車シリーズ№3『SFミサイル戦車・ジグラートM2000T』450円。車体の形状はジェットブルドーザーと同じだ。

●『ミニ ジェットブルドーザー』『ミニ 磁力牽引車』『ミニ エックスカー』(ゼンマイ・各120円)

ミニジェットブルドーザー

商品名は『ミニジェットブルドーザー』だが、サンダーバード2号やジェットモグラと違ってこれらにはスタンダードサイズのキットがないにもかかわらずミニと銘打ってのリリース。パッケージは迫力満点だが、キットは可愛い。クローラーも一体成型。

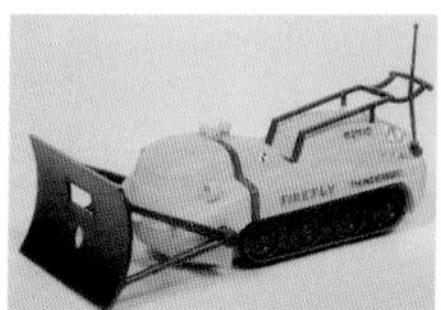

ミニ磁力牽引車

安価キットとは思えない小松崎茂による迫力のボックスアート。この絵は現在もアオシマのサンダーバードキットに使用されている。キットにはちゃんとゴムチューブが付属し、磁力ロッドが発射できた。

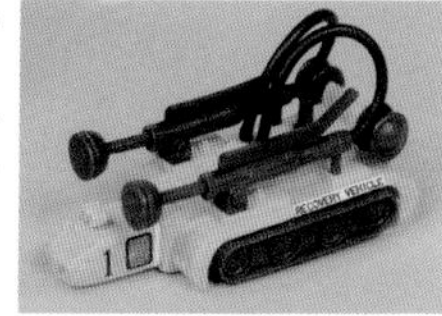

ミニエックスカー

こちらはスタンダードサイズがあるのでミニが冠されても異論はない。作中に登場しないメカを魅力的に描く手腕はさすがで、この初版絵は特に迫力がある。

▲80年代再販の300円版。ボックスアートはわざわざ描き直されている。当時もまだゼンマイ搭載アクションプラモだった。

▼60年代ミニシリーズを90年代にまとめて再販した際のカタログより。ジェットブルドーザーは日本語翻訳のネーミングなので、オリジナル言語版の"ファイヤーフライ"に改名。とうとうスタンダードサイズが発売されなかったメカだった。

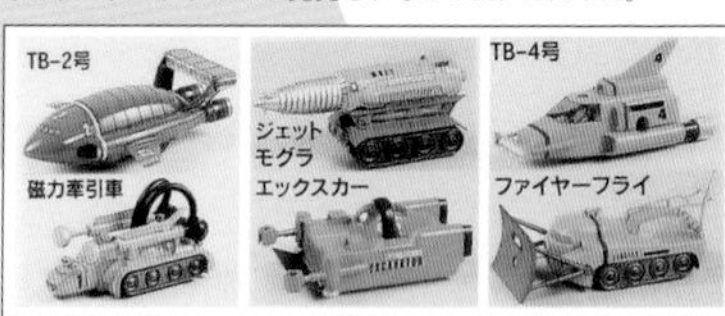

1968年7月－宇宙科学シリーズ No.34

春から※『キャプテンスカーレット・シリーズ』を大々的に展開して来ていたため、さすがにサンダーバード・シリーズは控えめとなって来た感がある。そのため商戦時期狙いの大型商品は無く、各100円でバラ売りのコンテナ5つと、それに250円サンダーバード2号を加え、さらにお得意のペーパーディオラマを加えた詰め合わせセットが発売された。なぜかパノラマシリーズではなく、価格も1,800円だったパノラマシリーズと比べて850円と半分以下で控えめだ。

しかしこの商品はこの時期だけの生産であったため、非常に知名度は低い。箱サイズは535mm×337mmとそれなりの大型で、なんといっても5個のコンテナが一度に揃うのが嬉しかった。しかしこれには最初のサンダーバード2号に付属したゼンマイ・コンテナと3台のエレベーターカーが付属しないので、そういう意味ではこのセットだけでは※正確にはコンプリートとはならない。

付属するペーパーディオラマはサンダーバード2号格納庫の再現で、5つのコンテナを並べて展示できたが、格納庫の開口部左右幅が狭く2号は通り抜けられなかった。

パッケージは異色で、下半分に同梱されているミニメカが掛かれており、セット内容を明確に理解できた。

※『キャプテンスカーレット・シリーズ』を大々的に展開

少年誌への広告出稿に始まりテレビCMまで製作。間違いなく第二の『サンダーバード』として打ち出していた。

※正確にはコンプリートとはならない。

このセットには最初の250円サンダーバード2号そのものが付属しているわけではなく、5つのコロ走行コンテナと、サンダーバード2号本体がセットとなっているため、最初のゼンマイ付き（高速エレベーターカー3台付属）コンテナは含まれていない。

●『サンダーバード2号 レスキューセット』(ゼンマイ･各850円)

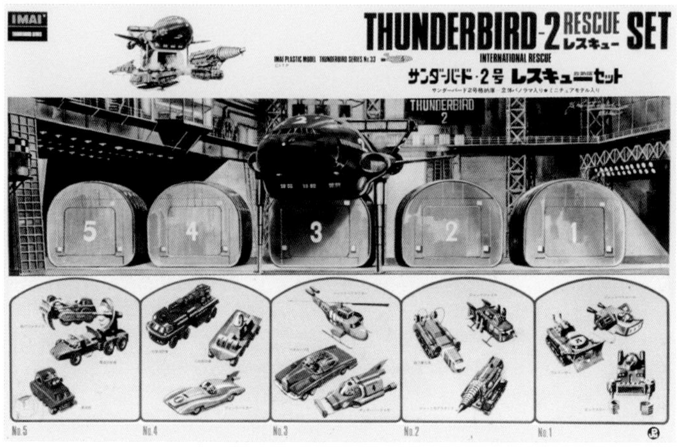

▲シリーズ中でも珍しいボックスアート。下半分はセット内容のミニメカを全部描いているので内容が分かりやすい。サンダーバード2号格納庫のイメージはちゃんと付属のペーパーディオラマで補完してくれる。

▲▶サンダーバード2号本体と5つのコンテナ、それら6つの商品をまとめたセットなので内箱も分かり易く6分割されている豪華仕様。組み立てると2号格納庫が再現できたが…2号は通り抜けられなかった。

◀サンダーバード2号格納庫のペーパーディオラマはただ箱の底に同梱されていたのではなく、わざわざ特別製封筒に封入されていた。この御大層感がたまらない。

イマイカタログ

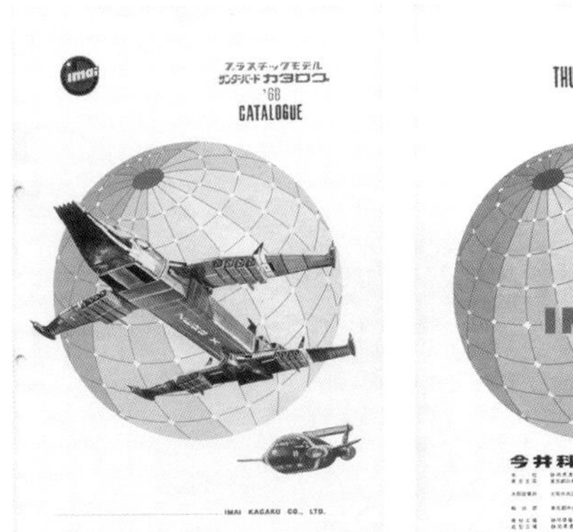

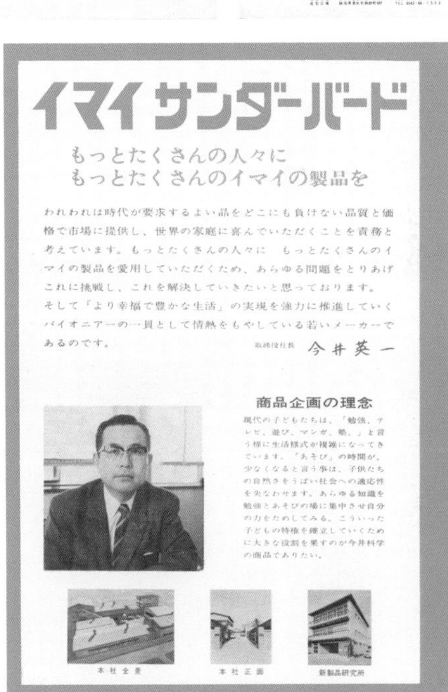

イマイ サンダーバード

もっとたくさんの人々に
もっとたくさんのイマイの製品を

われわれは時代が要求するよい品をどこにも負けない品質と価格で市場に提供し、世界の家庭に喜んでいただくことを責務と考えています。もっとたくさんの人々に　もっとたくさんのイマイの製品を愛用していただくため、あらゆる問題をとりあげこれに挑戦し、これを解決していきたいと思っております。
そして「より幸福で豊かな生活」の実現を強力に推進していくパイオニアーの一員として情熱をもやしている若いメーカーであるのです。

取締役社長　今井英一

商品企画の理念

現代の子どもたちは、「勉強、テレビ、遊び、マンガ、塾、」と言う様に生活様式が複雑になってきています。「あそび」の時間が、少なくなると言う事は、子供たちの自然さをうばい社会への適応性を失なわせます。あらゆる知識を勉強とあそびの場に集中させ自分の力をためしてみる。こういった子どもの特権を確立していくために大きな役割を果すのが今井科学の商品でありたい。

本社全景　本社正面　新製品研究所

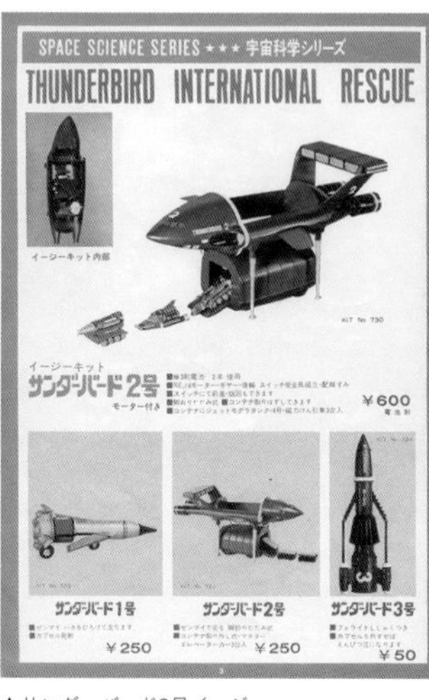

▲サンダーバード2号イージーキットとスタンダードのサンダーバード1号、サンダーバード2号、サンダーバード5号付属だったサンダーバード3号の告知。電動ジェットモグラはテストショットに塗装したもののようで転写マークが間に合わず手描きされている。

▶パノラマセットはペーパーディオラマを"パノラマ基地入り"と表現。価格の1,800円はやはり当時としてはかなりの高額。サンダーバード4号、サンダーバード5号はスタンダードの告知。

◀ラジオコントロールサンダーバード2号は"オール完成デラックスキット"と表現。エックスカーはなぜかゴムのクローラーが切り取られ転輪だけになっている。マスコットパノラマセットは立体サンダーバード基地入りと表記。

▼各100円のミニシリーズと同じく各100円のコンテナシリーズの告知。コンテナ付属のミニメカたちは撮影用に塗装されている。

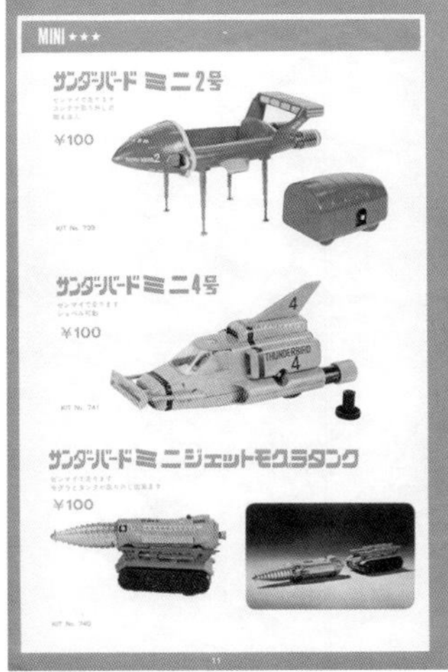

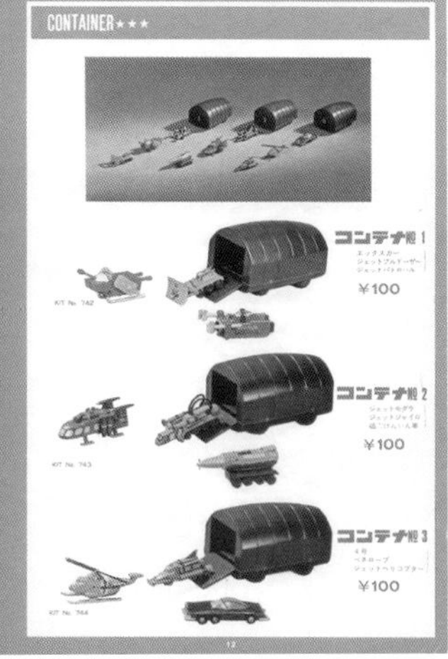

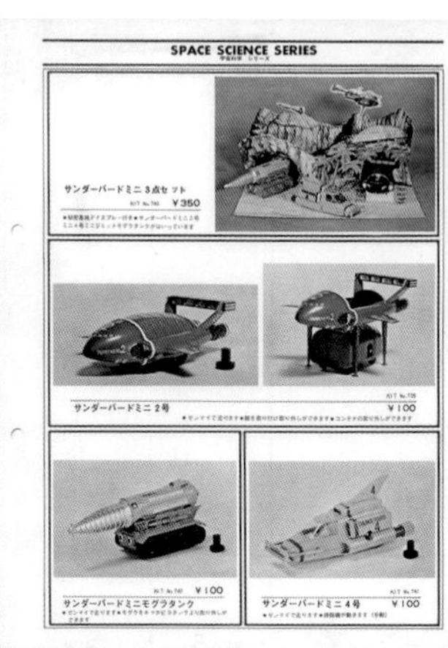

▲1968年カタログより。エレクトロニクスシリーズのラジオコントロールカーは主に輸出向けアイテム。トランシーバーはプラモではなく通話できる玩具だが、すべてにキットNo.が振られていた。ミニシリーズはバラ売り各100円とセットの告知。

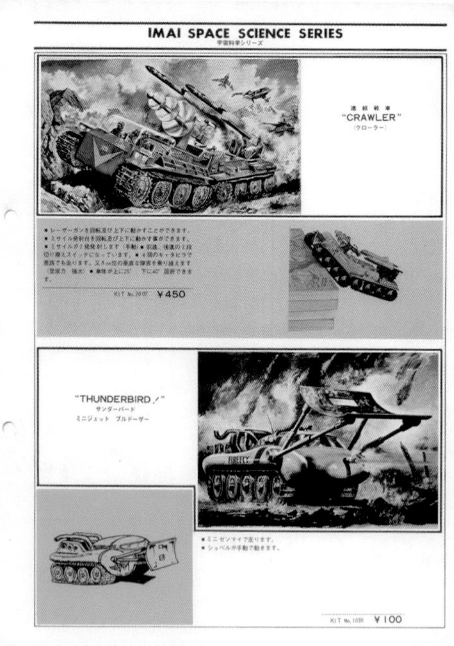

◀サンダーバードが宇宙科学シリーズでなくなったが、宇宙科学シリーズ自体は継続。宇宙科学シリーズにオリジナルの『連結戦車クローラー』が加わった。ジェットブルドーザーは100円のミニシリーズ。

▶イマイニュースより。1/8ジャガーEタイプは完成全長556㎜、5,500円の大人向け走るスケールモデルを自認。下は幻のチビッコ秘密基地の告知。アクションがすべて解説されている。

イマイ モデル ニュース

イマイのジャガーEタイプは日本でもっとも大きなカースケールモデルです。しかも精密さにおいても、誰もが目をみはるほどの出来ばえです。走るスケールモデルとしてマニアの間でも大好評です。¥5.500（RE-36モーター1個 単1乾電池2本 使用）

1/8 JAGUAR E TYPE

ジャガーEタイプ

全長 556%　全巾 207%　全高 152%。

さすがは超大型精密スケールモデルと、マニアがびっくりした理由も、この実物そっくりの迫真性をごらんいただければ、おわかりのこととおもいます。

ボンネットを開けばエンジンが見えるし、ヘッドライトも点灯。そのほかシフトレバー操作で2段変速前進、前進後退もOK、前・後輪独立懸架、ステアリングで方向転換など、イマイならではのスケールモデルです。

後部ドアが開閉し、ここから電池を入れかえます。またドアも開閉できて、ウインドウグラスは上下に開閉、従来のスケールモデルの水準をぬく精巧さです。

サンダーバード
チビッコ
秘密基地

サンダーバードといえば「イマイ」そのファンの好評にこたえて、製作されたのが、この「チビッコ秘密基地」です。

1号から5号まで、ぜんぶついていて、しかも、発射ランプスイッチと、ゼンマイストッパーをいれると発射ランプがつき、サンダーバード1号、2号、3号、4号が自動的に発進するという素晴しいアクションです。

それだけではありませんサンダーバード5号が秘密基地の上空高く旋回するのです。

下の説明図でアクションのたのしさをごらんください。

チビッコ秘密基地の全景が、これ。5号が高く旋回する。

2号発射のときは、カタパルトが上り、2号がいきおいよく飛びだします。また島はキレイに塗装されています。

ゼンマイ動力、発射ランプ用に単3乾電池2本使用します。サンダーバード秘密基地の楽しさをこのチビッコで十分に味わってください。千二百円。

▼『サンダーバード』や『キャプテンスカーレット』などのライセンス商品と並行してイマイはオリジナル商品も製作。特に1968、1969年には組み立てるプラモではなく完成品を設計。『ゴーゴーサブマリン』『ゴーゴーUボート』は電池を入れればすぐに遊べるアクション玩具だった。明らかに707の大ヒットアイテム『707ジュニア艇』に似ている。モーター動力組み込み済みの"イージーキット"のように、イマイは完成品に近いアイテムを、プラモの新しいカタチとして模索していた。

イマイ モデル ニュース

2分で完成・すぐせん水イマイのGoGoシリーズ

GoGo Uボート

〇もぐる、潜航する、ガバッとイルカのように浮かび出る、すごいぞイマイのGOGOUボート。二分で完成、すぐ発進。

GoGo サブマリン

〇Uボートにまけないぞ、イマイのGOGOサブマリンは、水中ふかく潜ぎすすむ、カッコよく浮きあがる、ワンタッチで発進OK！

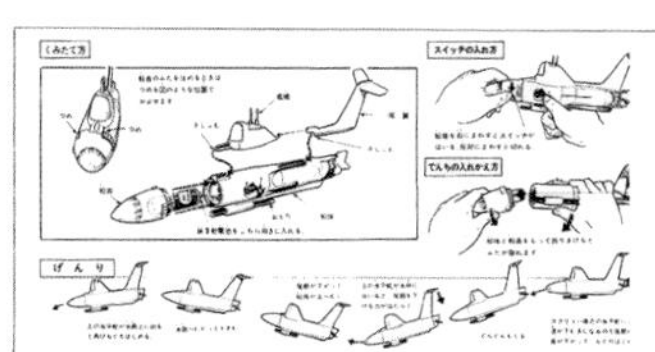

再生イマイ70〜80年代のプラモ

再生イマイは設立数年後に迎えた危機に対し、ライセンスものの対極にある木製帆船、さらには原点回帰ともいえる木製建築模型にシフトチェンジした期間があった。しかし並行してサンダーバードだけは60年代の再販を続けていた。

▲80年代のカタログ。ほとんどすべてが60年代旧イマイ時代のサンダーバードプラモの再版で、箱は書き起こし新作だがキット自体はすべて60年代と同じ物である。

◀70年代のイマイの数少ない新作サンダーバードプラモは、サンダーバード7号、リモコン。1972年発売時は350円。イマイのオリジナルである。

▲再生イマイは木製帆船、木製建築模型、など金型の製作の必要がない木製模型を展開していた。

▼イマイのオリジナルSFシリーズ。買い集めて増やしていくかつてのコンテナシリーズのようなプラモデル。人気があったようでどんどん生産された。

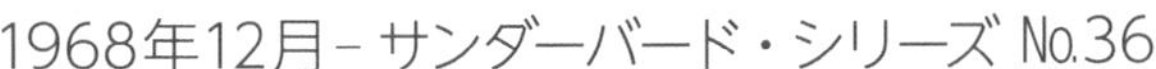

1968年12月－サンダーバード・シリーズ No.36

いつの間に売っていた？
ちょっと小ぶりな秘密基地。

1968（昭和43）年のミニシリーズの締めくくりに秘密基地の小型版が加わった。しかしミニと言うほど小さくないので“チビッコ”という訳だ。これは前述の「お兄ちゃんと同じ…」と言う意味での、つまりはチビッコ（年少者）向けということでもある。しかし2,200円の秘密基地のような少年誌への１ページ広告など、大々的な宣伝を打たなかったこともあり、知名度が断然に低い。筆者も当時は発売を知らず、後年、夜店の景品として並んでいるのを見て初めて存在を知った。イマイ倒産後に流れた商品かもしれない。

内容は2,200円秘密基地の縮小版で、チビッコ向けにゼンマイ稼働だが仕掛けが秀逸で、大型のゼンマイで基地内の円盤を回転させ、それがサンダーバード1号、サンダーバード3号を垂直にスプリング発射、サンダーバード2号はカタパルトが傾斜し発射させ、サンダーバード4号は格納扉が開いてコロ走行、サンダーバード5号は軸を中心に自転する。発射ギミックごとにモーターをあてがっていた2,200円基地よりも、仕掛けにアイデアがあり、こちらの方が断然に面白い。当時のみの生産であるため※超激レアの幻キットとなっている。

※超激レアの幻キット
再生イマイ、バンダイ、アオシマと行き先を尋ねたが、このキットの金型は発見されていない。ゼロエックス号同様に、紛失することは考えられないので、どこかの倉庫に眠っていると思われるが2021年現在は行方不明。

●『チビッコ秘密基地』(ゼンマイ・1200円)

◀パッケージデザインもシリーズ中異質！ 側面がド派手な黄色一色。予定価格1,000円だったが発売時は1,200円に異例の改訂。ボックスアート自体は2,200円版の流用だ。

▼他のミニシリーズはスタンダードのゼロエックス号が1,200円に対してミニが200円のような価格差だが、このチビッコ秘密基地はスタンダード2,200円に対して1,200円で大きさも3/4程度でそんなに小さくないのはなぜなのか。ゼンマイ稼働だが稼働ランプ点灯のため電池が必要という異例さ。

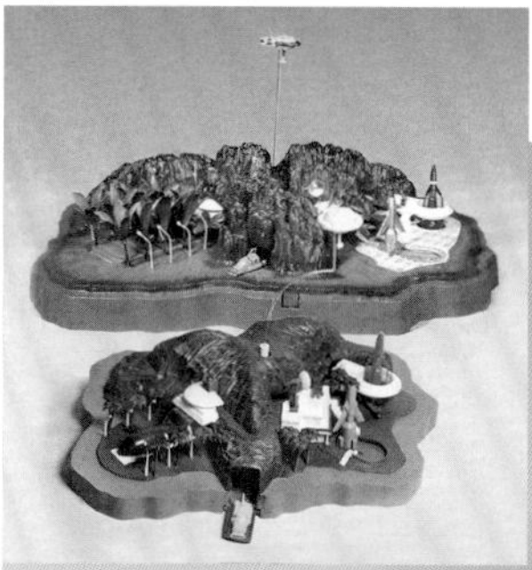

◀サンダーバード秘密基地（初版）690×360×114㎜に対してチビッコ秘密基地498×305×80㎜と極端には小さくはないのだ。この大きさで1,200円はむしろバリューは高いかも知れない。ボックスアートを流用しているのでなんだか紛らわしい。

▼ゼンマイによって白い大きな円盤が回転しサンダーバード機たちの発射スイッチを次々と押していくというアイデア機構が秀逸!! 電池ボックスは麦球点灯のためのもの。

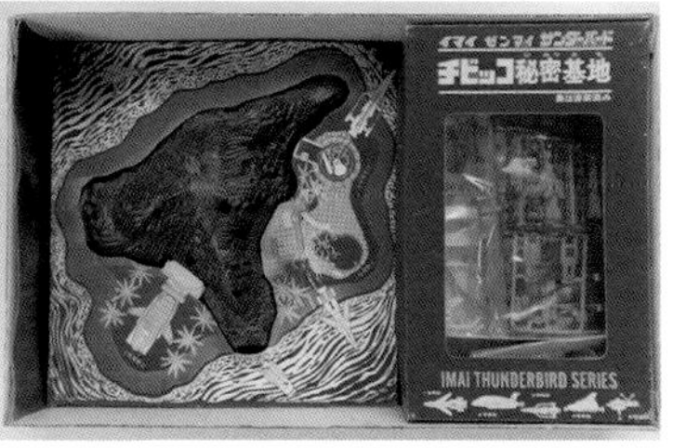

▲パッケージングはやはり2,200円版と同じく島本体を押さえる海をイメージした厚紙があり、細かいパーツは内箱に収められていた。1,200円だけど豪華仕様だぞ!!

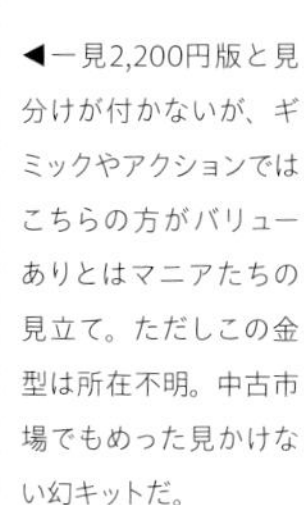

◀一見2,200円版と見分けが付かないが、ギミックやアクションではこちらの方がバリューありとはマニアたちの見立て。ただしこの金型は所在不明。中古市場でもめった見かけない幻キットだ。

1968年12月 – 宇宙科学シリーズ No.37

劇場版2作目の主人公メカがプラモデルで登場だ!

劇場版※『サンダーバード6号』は1968(昭和43)年8月3日に封切られた。プラモは12月発売なのでイマイはこのスカイシップを僅か4ヵ月以内で製作、販売したことになる。商品名が『サンダーバード6号 スカイシップ1』であるため映画内容を知らないと、大きく描かれたスカイシップが新考案のサンダーバード6号かとも思えてしまうが、再販時は逆に作為的に、商品名を『サンダーバード6号』としている。本体内にモーターを搭載し本体だけでも走行するが、その下にゴンドラを装着すると、動力が伝達されてゴンドラのタイヤでも走行する。作中のイメージを反映した長い着陸脚は取り外し式。甲板に細い手すりが付くのだが、プラスチック成型では難しいので、そのための金属棒が付属していた。

映画での最後の救出シーンに登場するサンダーバード1号、サンダーバード2号、後にサンダーバード6号の名を拝命する複葉機のタイガーモスのミニモデルが付属し、スプリング発射台をスカイシップの甲板に取り付けるとそれらを発射できる仕掛けがあった。

イマイが倒産してしまうのは、この一年ほど後なのだが、このキットが旧イマイ時代の最後のサンダーバードプラモとなってしまった。

※サンダーバード6号
映画のタイトルにはなっているが、実はサンダーバード6号が如何なるものなのかが、作品のテーマであるため、映画を見ないと理解できなかった。残念ながら複葉機では少なくともアクションプラモとしては取り扱いが難しかった。

イマイ　モデル　ニュース

44年1月

イマイ モデル ニュース
IMAI MODEL NEWS

ファニープレゼント特集

今井科學株式会社
本社　清水市西久保305
TEL（0543）66－3261

ＲＥ－26モーター1個、単3乾電池2本使用、前進後進、前輪の操作で方向転換。スプリングクッション付きの本物そっくりの迫力です。1号・2号・6号のミニモデル付き、680円。

本体左右の下部は格納庫で、1号2号を格納、発射台からは1号2号のミニモデルが発射できます。

サンダーバード
スカイシップ1

脚と客室とを取りはずして、本体だけで走らせることもできます。イマイならではのこの偉容をごらんください。

発射台はとりはずしができます。ゴンドラも本体からはずして、手動で走らせることができます。

▲スカイシップ発売を告知する当時のイマイモデルニュースより。

●『サンダーバード6号 スカイシップ1』(モーター・680円)

◀作中同様、英国ドーバー近郊の田園風景を下に見るパノラマ絵は小松崎茂の真骨頂だ。これが旧イマイとしての最後のサンダーバードプラモの箱絵となるが、複葉機のタイガーモスも実に細かく描写されていて作品への愛を感じる。パッケージの側面デザインもなんだか同シリーズとは少し異なる。

▼▶初版の成型色は少し濃いめのメタリックブルーとレッド。「SKYSHIP」や「1」のテキストは銀の機体に映えるように白ではなくアイボリーなのだが、このキットの転写マークはそれを見事に再現していた。サンダーバード1、サンダーバード2号、そしてサンダーバード6号に任命されることになる複葉機も付属した。甲板の手すりは金属棒が付属。パッケージには内箱あり。

▼主人公のはずのサンダーバード6号こと複葉機タイガーモスは、ミニモデルしか付属しない。しかしパーツ数は10個もある再現度で黄色い機体に赤い転写マークを貼れば完成だ。

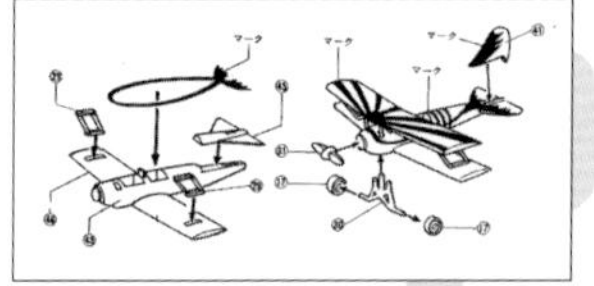

▼再販時に一度商品名を『サンダーバード6号』に変更、それに合わせて機体に6と描き込んだイラストが発注された。が後にスカイシップに戻したため、商品名が『(サンダーバード6号) スカイシップ1』なのに船体に6と書かれている。

飽和状態のSF系・プラモ

この年、イマイは『サンダーバード』と並行して『キャプテンスカーレット』、『マイティジャック』を展開したがそれらのアイテムを列記してみよう。

キャプテンスカーレット・シリーズは以下のとおり半年足らずのうちに一気に25点もの商品を投入している。時期を少しだけずらして『マイティジャック』は10点、これに『サンダーバード』が加わりスケールモデルも発売していたのだから、1968年はすごい発売ラッシュと言える。

キャプテンスカーレット・シリーズ	マイティジャック・シリーズ
No.1　パトロール車　200円（ゼンマイ）	ミニマイティジャック号　50円
No.2　強力装甲車　250円（ゼンマイ）	エキゾスカウト　250円（ゼンマイ）
No.3　追跡戦闘車（イージーキット）　600円	ダブルセット　200円（ゼンマイ）
No.4　キャプテンスカーレット　50円	ピプリダー　250円（ゼンマイ）
No.5　コンチェルト・エンゼル　50円	ジュニアマイティ号　200円（ゼンマイ）
No.6　オーカー大尉（追跡戦闘車付き）　50円	マイティ号　600円
No.7　マゼンタ大尉（強力装甲車付き）　50円	ジュニアハイドロジェット　150円
No.8　ブルー大尉（超音連絡機付き）　50円	マイティ号（イージーキット）1,000円
No.9　グレー大尉（スペクトラムヘリ付き）　50円	ハイドロジェット　250円（ゼンマイ）
No.10　エンゼル1号　250円（ゼンマイ）	マイティジャック秘密基地　3,500円
No.11　エンゼル2号（リモコン）　※発売中止	
No.12　超音連絡機　350円	
No.13　スペクトラムヘリコプター　400円	
No.14　ミニパトロール車　100円（ゼンマイ）	
No.15　ミニ強力装甲車　100円（ゼンマイ）	
No.16　ミニ追跡戦闘車　100円（ゼンマイ）	
No.17　ベビースペクトラム基地　50円	
No.18　水陸両用スペクトラム基地　120円	
No.19　スペクトラム基地（イージーキット）700円	
No.20　原子力空母　50円	
No.21　シルバーセット　200円	
No.22　秘密トレーラー　500円	
No.23　追跡戦闘車　400円	
No.24　グリーン少尉（科学探知車付）　50円	
No.25　ホワイト大尉（スペクトラム基地付）　50円	
パノラマセット キャプテンスカーレットパノラマ　300円	

※発売中止
初期流通段階での不振を受け、高額商品なので急遽中止となったと言われている。
キャプテンスカーレットにはシリーズ名があるが、マイティジャックにはなぜかシリーズ名が冠されていなかった。

日本におけるジェリー・アンダーソン作品のプラモデル一覧表

最盛期、日本には30社を超えるプラモデルメーカーがあり、70年代にはその技術力はプラモ先進国であった欧米を追い越した。そんな中にあって英国のジェリー・アンダーソンのSF番組のマーチャンダイジング、特にプラモに関しては日本の独壇場でそれらの多くは英国に逆輸入された。

なぜかジェリー・アンダーソン作品は日本の子供たちやモデラーの肌に合い半世紀にわたって生産、流通している。

1957(昭和32)	トゥイズルの冒険	
1960(昭和35)	トーチー・ザ・バッテリー・ボーイ	
1960(昭和35)	魔法の拳銃	
1961(昭和36)	スーパーカー	※タミヤ
1962(昭和37)	宇宙船XL-5	
1964(昭和39)	海底大戦争スティングレー	ミドリ
1965(昭和40)	サンダーバード	イマイ バンダイ アオシマ
1966(昭和41)	映画・サンダーバード	イマイ
1967(昭和42)	キャプテンスカーレット	イマイ アオシマ ※(英エアフィックス)
1968(昭和43)	ジョー90	タミヤ 再生イマイ ※バンダイ
1968(昭和43)	映画・サンダーバード6号	イマイ
1968(昭和43)	映画・決死圏SOS宇宙船	
1969(昭和44)	ロンドン指令X	
1970(昭和45)	謎の円盤UFO	バンダイ 再生イマイ アオシマ
1972(昭和47)	プロテクター電光石火	
1975(昭和50)	スペース1999	再生イマイ ※(米MPC英エアフィックス)
1983(昭和58)	地球防衛軍テラホークス	
1986(昭和61)	ディックスバナー	
1994(平成6)	スペース・プレシンクト	
1996(平成8)	ラヴェンダー・キャッスル	
2003(平成15)	新キャプテンスカーレット	

玩具やガレージキットを除き、メーカー生産のプラモデルに限定した一覧表。作品の製作年代とプラモデルの発売年代はかならずしも一致していないが、やはりサンダーバードの60年代後半がアクションプラモの全盛期のように思える。

※タミヤ　実はスーパーカー単独で、タミヤはプラモデル化していた。

※(英エアフィックス)　プラモデルの老舗メーカー。1/72エアクラフトシリーズに『エンジェル・インターセプター』を唯一加えている。

※バンダイ　バンダイもジョー90のプラモデルを発売していた。中古市場でもなかなかお目にかかれない隠れアイテム。

※(米MPC/英エアフィックス)　米国MPC社製の『SPACE1999』『STARWARS』プラモは英国国内ではエアフィックス・ブランドで流通している。

イマイの倒産

1968年はやっぱりSFの年？

1968（昭和43）年は前記のようにSF系プラモが台頭した。従来の戦艦、戦車、航空機、カーモデルなどにもうひとつ、SF系アクションプラモというジャンルが育ち、加わった。そしてそれを主導するのはイマイやマルサンだった、ということだ。イマイは年頭に問屋や小売店などを集めた一大接待攻勢を掛けている。今年も去年以上によろしくというのはもちろん、先年に倍する特撮メカキャラクターを市場に投下する、そのための地均しだったのだろう。

そして『サンダーバード』の次回作とあって、『キャプテンスカーレット』の玩具はバンダイが担当した。もちろんサンダーバードの時の成功体験を再現し、プラモと玩具の両面で攻勢を掛ける共同作戦だった。

しかし、バンダイは最初の商品投下時点で、出足が鈍く、従来のサンダーバードとの差を感じていた。当然イマイも商品の動きが鈍いことは感じていたが、「わが社の優れた商品が市場に行き渡れば挽回する」と強気の姿勢を貫いた。

しかしバンダイは敏感に対応する。当時のバンダイ経営陣は「そこが模型趣味を中心とする、模型屋さんとは違う玩具メーカーとしての体質だったのかもしれません。売れ行きの良くないものは直ちに生産を中止、撤退するという、潔い体質はその後も生かされて行きました。うまくいくものもあれば、そうでないものもありますからそうした時の引き際はバンダイはとにかく早かったです」と語っている。

さらにバンダイは、プラモメーカーが金型を資産と捉えるのに対し、金型に対する※投資を一年以内には回収する、というビジネスライクなスタンスを取っていたという。

この対照的な決断が明暗を分ける結果となってしまった。強気で3大特撮ドラマのプラモ化を押し続けたイマイの倉庫には在庫が山を成してしまい、業績の改善がなされることはなかった。『キャプテンスカーレット』はメカ描写をビークルにシフトして、スパイもの的要素を強調してはいる。しかし※プラモデルとしてはほぼ『サンダーバード』と同じカテゴリーであった。また『マイティジャック』は放送キー局が少なく、北海道出身のサンダーバード研究家、故・伊藤秀明も「マイティジャックは、当時は見たことがなかった」と語っている。

何が主因かという分析は難しいが、2〜3年の間に集中的に投下されたSF系プラモだったが、昨日までウルトラマンの怪獣やサンダーバードを表紙としていた少年誌にも変化が起こる。少年マガジンに1966（昭和42）年から『巨人の星』が連載を開始、1968（昭和43）年にはテレビアニメとなり、さらに1967（昭和42）年の年末発売号からは『あしたのジョー』が連載、1970（昭和45）年に

※投資を一年以内には回収する
特にテレビのキャラクターものは、人気の持続中に償却すべき、ということ。マニアが納得する精密なスケールモデルは、パーツが多く金型が大型化、複数化するため回収に数年以上かかることもまれではない。

※プラモデルとしてはほぼサンダーバードと同じカテゴリー
サンダーバードの主役メカは航空機だったが、キャプテンスカーレットでは地上を走るビークルメカが主要メカだったという違いはあった。

テレビアニメ化された。いずれも30〜36%の高視聴率を取る怪物番組で、“国民的漫画”と言っても誰も否定はしないだろう。少年誌の表紙にはそれらに加えて当時流行し始めたキックボクシングのチャンピオン、沢村忠の雄姿が躍った。

これは漫画、アニメ、そしてテレビドラマにおける新しいジャンルで「スポーツ根性もの」を略して「スポ根」と呼ばれる新しいトレンドとなった。

運命の1969年7月。

この年、イマイは60点ほどのプラモデルを発売しているが、前年12月を最後に『サンダーバード』『キャプテンスカーレット』『マイティジャック』関連の商品はひとつも生産していない。ふたつのシリーズはどうやら最初に立てた発売予定商品を発売し終わった時点で、終了として、つまり延長されなかったのだ。1969（昭和44）年時点でそれらの在庫を抱えてしまっていたのだろう。後にイマイの倉庫を視察したバンダイの役員も、「在庫は山と積まれていた」としている。

この年のイマイ製品の目新しいところでは※『昆虫シリーズ』がある。これはカブト虫やクワガタを正確に再現し1/3ではなく3倍という拡大スケールでゼンマイ（一部モーター搭載もあり）稼働のプラモにしたという変わり種で、人気を呼んだ。イマイの企画力健在、と言いたいところだが、しかし業績の挽回には至らなかった。同年7月9日、手形の不渡りにより、静岡地裁に会社更生法の申請を行うに至ってしまったのだ。

※『昆虫シリーズ』
昆虫を拡大したプラモデルならすでに海外メーカーが発売していたが、稼働するモノはイマイの商品が初めてではないだろうか。このアイテムも後にバンダイから再販される。

サンダーバードは、狂乱の怪獣ブームと同時並行で加熱していた。

怪獣ブームとは1966（昭和41）年以降、怪獣映画のTV版として始まった特撮番組『ウルトラQ』、『ウルトラマン』の大ヒットにより『キャプテンウルトラ』『ウルトラセブン』『マグマ大使』『ジャイアントロボ』などの「怪獣」が登場する特撮番組が相次いで制作され、それらの関連商品が爆発的にヒットし、ブームとなった時代のことだ。特に1966（昭和41）年～1968（昭和43）年が『第一次怪獣ブーム』とされ、当時のヒット商品の代表格がマルサンのソフビ怪獣玩具だった。マルサンは日本におけるプラモデルメーカーの草分けであると同時に、玩具製造メーカーでもあり※OEMで海外プラモメーカーへも出荷もしていたマルチプレイヤーで、ソフビ怪獣玩具と怪獣プラモを一手に引き受けていた。

しかし当初マルサンが『ウルトラQ』の版権元である円谷プロ（当時は円谷特技プロ）に版権の獲得に行くと、怪獣などが売れるのか？と疑問視され、最初に生産したゴメス、パゴスなどは、なんと各600個というごく少量生産であったという。当時はマスコミモノと言われていたキャラクター商品が、爆発的に売れるなどとは誰も思わなかったのだ。特に怪獣は一部の大人たちからゲテモノ扱いすらされていた。しかし発売を開始すると子供たちの人気はすごく、最終的に

※OEM
他社の製品を代理的に製造すること。例えばタカラの『ダグラム』は日東科学が作っていた、など。マルサンはその技術を買われ米国プラモメーカーの製品を製造していた。

月産100万個でも間に合わなくなり、果ては贋作騒動まで加わって社会現象にまで発展した。ちなみにマルサンもソフビにて『マイティジャック』商品を販売していた。

またマルサンは東宝の※ゴジラのプラモデルを発売していたが、これに対抗して大映の※ガメラシリーズと日活の『大巨獣ガッパ』は日東科学が担当、松竹の『宇宙大怪獣ギララ』はミドリ、と映画界、玩具メーカー、プラモ業界、出版、音楽レコード業界を巻き込んでのブームとなったが、それはイマイのサンダーバードプラモのヒットと時期を同じくして進行していたのだ。

しかしメジャーな作品を二分した形のマルサンとイマイだったが、マルサンは以前のスロットレーシング時代に大きな負債を抱えており、同時に『ウルトラセブン』以降、それまで以上の人気となる後続番組を得られず1968(昭和43)年12月に倒産してしまう。

翌年7月のイマイの倒産と合わせて、キャラクター・マーチャンダイズを主導して来た二大巨頭の相次ぐ倒産に「キャラクターものは難しい」「キャラクターものはもう終わりだ」との意見が囁かれたのも当然だった。両社の倒産には多様な理由も含まれていただろうが、同業他社から見れば、キャラクター・アイテムに依存した結果、とされたのだ。

※ゴジラのプラモデル
ゴジラを最初にプラモデル化したのはマルサンではなく、アメリカのプラモメーカー・オーロラ社で、マルサンは開発段階でこのオーロラ社のディスプレイタイプのゴジラ・プラモを参考にしている。また東宝から撮影で使用したギニョール版ゴジラも借り受けたという。

※ガメラシリーズ
ガメラシリーズは日東科学がプラモ化したが、同じ大映の『大魔神』はマルサンが発売するなど、メジャーキャラクターにはかならずプラモメーカーがコミットしていた。

タミヤもSFプラモに参戦。

タミヤのスケールモデルに対する真摯な姿勢はユーザーたちなら皆が知っているはずだ。戦車や装甲車のMM（ミリタリーミニチュア）シリーズは、地球の裏側の博物館にまで直接足を運んで取材した、確かな資料に裏付けられており、同シリーズは現在もなお高い人気を維持している。当初プラモ先進国のスケール刻みは1/72、1/48、1/32と十二進法で、英国エアフィックスのAFVは鉄道模型を基準にHOスケール、米国オーロラ社は1/48、同じく米国モノグラムは社1/32だった。しかしタミヤはモーター搭載の都合により1/35という、いわば半端なスケールで展開を始めたのだが、しかし現在、世界基準はこのタミヤの1/35である。

そのAFVシリーズの展開を始めた同時代、やはり至近にあって大ヒットをしている『サンダーバード』は無視できない存在だった。『サンダーバード』『キャプテンスカーレット』に続くジェリー・アンダーソンの最新作、少年スパイの活躍を描いた※『ジョー90』のライセンスを取得したのは、なんとタミヤだった。

世界のミリタリーバランスに均衡を!?

『ジョー90』は、日本では1968（昭和43）年からの放送だ。近未来における東西冷戦が舞台で、第一話ではロシアの最新鋭戦闘機Mig242を奪って来るというミッションで、それを迎え入

※『ジョー90』
1968（昭和43）年10月2日〜1969（昭和44）年3月26日まで放送。第5話までは『ジョー90』、第6話から『スーパー少年 ジョー90』と改題した。脳波記憶伝送機「ビッグ・ラット」によって他人の能力を転送された9歳の少年ジョーが、世界諜報局WINの諜報部員となって活躍する。さらにリアリティを増したマリオネーションと未来メカが見どころ。

1966
2021

れる英空軍基地は※「マンストン駐屯地」という、かつてジェリー・アンダーソンが勤務していた空軍基地である。最新鋭戦闘機に装甲車、人間が背負って空を飛ぶリフト・ロケットなど未来のミリタリー・デバイスが頻出し、戦闘機が着陸の際、減速用の※ドラッグシュートを開く描写などは、おそらくあまたある特撮でも唯一ではなかっただろうか。筆者もこの作品で『near future=近未来』という言葉を覚えた。

この作品はSFプラモに参戦しようとするタミヤに、非常にマッチしていたといえる。特に主人公の乗るスーパーカーは、離陸すると脚が引き込まれ、翼を展開、強力なターボジェットで空を飛ぶ。

タミヤは5点のプラモをリリース。作中のギミックをすべて再現した『マックスカー』、特別仕様のギヤボックスで6輪駆動を実現した装甲車『U59ワイルドキャット』と『U87ストロンガー』などだ。少年漫画誌に1ページ広告を打つなど大変力を入れて打ち出し、パッケージアートはやはり小松崎茂で、※そのいずれもが力作で魅力があった。

しかしはたせるかな、まさにSFプラモの潮流が引き潮のタイミングでの訴求であったため、プラモの出来は大変素晴らしかったのだが、その後、このシリーズが継続されることは無かった。そしてこれらの金型は、後に再生したイマイに売却され、再生イマイから再販されることとなる。

※「マンストン駐屯地」
義務徴兵によってジェリー・アンダーソンが勤務していた英国空軍基地。ドーバーに位置するが、劇場版サンダーバードにも、ドーバー付近のミサイル基地などとして度々登場する。

※ドラッグシュート
着陸時の滑走距離を短縮するため、特に戦闘機などが使用する減速用パラシュート。緊急時の射出座席なども含め、このプロダクション作品にはこうした航空機や戦闘機の細かい機能が描写される。

※そのいずれもが力作で
小松崎茂によるタミヤのジョー90のパッケージ画の背景にゲストメカが描かれていたが、いずれもスチール写真を参考にしたようで隅々まで正確に描かれていた。金型が再生イマイに移った後も、そのパッケージは小松崎茂が担当した。

Chapter 3

1970年

バンダイ模型に引き継がれたサンダーバード

イマイの再生

引き継がれるサンダーバード！バンダイ模型の誕生。

前出の新入社員である荒田茂は、当時イマイが力を入れていた輸出ラジコントイの担当として、送信機の不具合を調整するため現地、米国の工場へと向かったが、そこでイマイ倒産の報を受けたという。とにかく突然のことだった。

この倒産劇に、『サンダーバード』『キャプテンスカーレット』で共闘したバンダイが動く。※バンダイは玩具メーカーだったが、すぐ隣のプラモ業界の急成長を見過ごせなくなっていた。特に共闘したイマイの急成長ぶりは大変なものだったからだ。

60年代のムーブメントに前出の“スロット・レーシング”というものがある。通電したコースにモーター搭載のレーシングカーをセットし、手元のスロットルで競争する米国由来のホビー玩具だ。タミヤ、マルサン、ニチモ、イマイ、そしてバンダイも参戦し家庭用サーキット一式を商品化したが、大変流行した結果、後楽園などに大きな専用サーキットが出来た。

この時、バンダイにスロット・レーシングのパーツを提供していたのが模型メーカーの※コグレであった。このコグレ倒産時にその金型を買い上げたバンダイは、社内に「模型部」を設立し、1/20のカーモデルなどを中心に再販していった。しかし転機が訪れたのはイマイの倒産時である。

バンダイ経営陣がイマイの清水市の西久保工場

※バンダイは玩具メーカーだったが

バンダイはバンダイ模型設立以前からプラモ見本市にも参加、Bandaiという英文表記のブランドでプラモを発売していた。

※コグレ

小暮模型製作所（コグレ／KMS）はプラモメーカーとして多様なプラモデルを生産していた。海外テレビ番組からは『原子力潜水艦シービュー号』などのプラモも発売。その他にもユニークなオリジナルプラモも多く、今でもコグレのみを収集するマニアがいるほど。

へ赴き、まずは現状把握に努めた。その結果、イマイをそのままバンダイが引き受けるという選択もあったのだが、最終的にさまざまな手続きはバンダイが代行し、イマイは独立再起を目指し、雑多な費用は後に清算とすることで合意がなされた。

　イマイの倉庫に山積みの商品在庫は、バンダイの商品として流通し、イマイの工場などの資産の一部と社員の一部はバンダイが引き継ぐこととなった。また多くの金型は買い取ったが、イマイ更生の一助として金型を借り受け、使用ロイヤリティーを支払いながら製品の製造を行った。

　イマイの商品にバンダイマークを付けて販売したのは事実で、それを買ったとするモデラーもいるが、筆者には記憶がない。バンダイにはサンダーバードも引き継がれたが一番多かったのはカーモデルや航空機モデルで、それらもパッケージ替えなどをしてバンダイから再販された。この時点でバンダイ模型が目指したのは『プラモデルの総合商社』だと公言しており、要するに多種多品目のカテゴリーのプラモデルを取り扱って行くということだ。

　その点では、この10年間、多品目を扱って来たイマイの資産たる金型を、一挙に買い入れることが出来たのは幸いだったかもしれない。プラモ史において、スケールモデルも栄え、サンダーバードと怪獣ブームが並走していた当時は、それぞれのメーカーが隆盛と衰退を経験した激動の時代だったと言えるかもしれない。

◀イマイから引き継いだ1号、2号、4号、ジェットモグラは当初、初版時のボックスアートを使用。秘密基地が大々的に使用されているが秘密基地の金型自体、バンダイは買い取っていない。バンダイはサンダーバード玩具の売れ行きに驚いたと、チラシにまで書くほど好調であったため、プラモにも期待した。価格は初版時よりすべて値上げしているが物価上昇の範疇だ。このチラシでは発売元は静岡のバンダイ模型ではなく東京本社となっていた。

▼1970年、バンダイ模型の新作『謎の円盤UFO』プラモ内に同梱されていた『サンダーバード』プラモのチラシ。この4点に関してはイマイから引き継いだキットの再版だが、ボックスアートは刷新している。ジェットモグラ600円、サンダーバード1号及びサンダーバード2号300円、サンダーバード4号250円とある。

バンダイのサンダーバードが急発進。

最初のバンダイ模型のサンダーバードプラモは、旧イマイのサンダーバード1号、サンダーバード2号を300円、サンダーバード4号を250円、ジェットモグラを600円で発売した。当初はイラストも小松崎茂のものを使用しての再販だった。チラシなどでは秘密基地のイラストが象徴的に使われているが、『サンダーバード秘密基地』(2,200円)と『サンダーバード5号』(600円)は、代表格であるにもかかわらず、買い取っていない。

秘密基地は※モーター配線済みのイージーキットでなくては年少者には組み立てが難しいうえ、塗装も必要となる。サンダーバード5号も付属品が多すぎる。実際イマイからバンダイへの移籍スタッフは、旧イマイ製品の再版に際し、転写マークの書き直しや、モーターなどのギヤボックスの再設計など、多くの付属品の再設計に時間を割かれている。転写マークもイマイ時代は大阪の専門業者への外注だったというから、外注への発注パーツ類が多いキットは敬遠した傾向が明らかだ。この後、バンダイ自身がサンダーバードプラモの新製品を開発する際、旧イマイ時代よりも対象年齢を下げ、パーツ数も減らし形状も簡略化している。また『宇宙科学シリーズ』というシリーズ名も踏襲して、バンダイ『宇宙科学シリーズ』〈国際救助隊〉として展開した。

※モーター配線済みのイージーキットでなくては

モーターを多用したイマイに対して、バンダイ模型のサンダーバードはほぼモーター搭載プラモは無く、総じてゼンマイ駆動としていた。

年少者にはモーターギミックの工作は手ごわくまた価格も上昇してしまうためだ。

1970年バンダイの
サンダーバード1号～サンダーバード5号が揃う!

定価はイマイ時代からすると50円～150円増しと、他のアイテムもほぼこの程度の値上げとなっている。しかし最初のサンダーバード2号発売が1966（昭和41）年の年末と考えるとすでに4年が経過しているので※物価の上昇も加味すると妥当なのではないだろうか。

サンダーバード3号に関しては、先に解説もしたとおり、イマイ時代には50円のプラモしかなかったため、1973（昭和48）年にバンダイが新金型を製作。全長は200㎜を超え、スマートな機体に大胆にゼンマイボックスを付けたゼンマイ走行で価格は300円。残念ながら形状はあまり似ていないかもしれない。成型色は機体のレッドと放熱フィンがシルバーグレイ。機体に直接つけられた前輪でステアリングが切れる。

またサンダーバード5号は前段のとおりイマイから買い上げず、1972（昭和47）年に新金型を起こしている。イマイ時代の複雑なギミックは取りやめて、スタンド上に配置した時はディスプレイモデルとなり、下部アンテナを取り外すと内蔵したゼンマイで地上走行するというアクションプラモとした。ただ本体下にふたつの動輪が露出しているという設計であったため、玩具的構造だったといえる。言質は取ったことがないが、イマイとの共闘時代に10歳以上がプラモデルの年齢としたものを、ぐっと引き下げ、

※物価の上昇も加味すると

この直後の1973（昭和48）年10月、産油国が原油価格を70％引き上げたことを受けてオイルショックが発生。特に石油製品の高騰が激しく、プラモデルも当然その煽りを受けた。プラモのパッケージには価格札が何枚も多重に貼り付けられ400円、500円と毎月値上げされる事態が発生した。

特にキャラクターモノについては年少者も対象に、という方針であったようだ。もちろんキットの種別、カテゴリーにもよる。バンダイは70年代に展開した大スケールのカーモデルは、はっきりと※“大人の趣味”として打ち出している。

以上の、イマイ時代の3点と、バンダイ自身が製作した2点で、『サンダーバード』のメインメカ、サンダーバード1からサンダーバード5号が揃ったことになる。

※“大人の趣味”として打ち出している
バンダイは大スケールクラシックカーなどは、タレント・モデルを使った広告などで大人の趣味としてそれらを打ち出した。

●バンダイ宇宙科学シリーズ《国際救助隊》

サンダーバード1号
▲イマイのゼンマイ仕様1号の金型を使用。ボックスアートもイマイ第二版を使用。パッケージデザインもほぼ踏襲している。

サンダーバード2号
▼青空のイラストがイマイから引き継いだ小松崎箱のバンダイ初版(左)。夕焼け空が新たに発注されたバンダイ第二版(右)。キット内容はいずれもゼンマイ走行スタンダード版。小松崎茂は『サンダーバード』を描いてすでに4年目に至っている。

サンダーバード3号

◀1972年にバンダイ模型が新規設計したプラモ。300円で発売したが直後のオイルショックですぐに350円に値上げ。“チビッコの名刺”が当たるキャンペーンのシールがでかでかと貼られている。92年にはディスプレイタイプとして再販される。

サンダーバード4号

▶イマイのゼンマイ走行200円版を引き継いだキット。パッケージは小松崎茂イマイ初版に似ているが、描き起こしによる1972年の第二版目。よく見るとサンダーバード2号付近にカモメが居る。

サンダーバード5号

▼イマイ版ではなく1972年のバンダイの新製品でシリーズNo.11と表記。これでバンダイ版サンダーバード1号からサンダーバード5号が揃ったこととなる。パッケージはリアルだがタイヤ走行するので形状の再現はあまり重視されていない。1992年にディスプレイ化して再販される。

1971年－バンダイ版ジェットモグラタンク

復活万歳、初版に近いモーター走行
ドリル回転アクションプラモが帰って来た!!

ジェットモグラタンクもイマイから受け継いだキットだ。最初はイマイのボックスアートを使用していたが、1971（昭和46）年からイマイ版とは左右逆の構図で描き起こされたものとなっている。パーツの色分けもアクションもほぼイマイ版と同じで、人気があったようで1970（昭和45）〜74（昭和49）年まで再販された後、80年代、そして90年代まで再販された超ロングセラーの逸品だ。再販ごとに成型色が少しづつ異なることと、時代、物価に合わせて価格は上昇していった。

バンダイも小松崎茂に
ボックスアートを依頼できた訳

前述のとおり、稀代の人気絵師、小松崎茂に仕事を依頼するのは一筋縄ではいかなかった。しかしバンダイ・デザイン課に内田嘉正がいた。内田は学生時代、出版社である光文社のアルバイトとして小松崎茂の原稿の回収を行っていた。原稿を待つ間、柏のアトリエに泊まることも多く、食事も振舞われていたという。

やがてイマイのサンダーバードが人気を博すと、イマイの開発部長が小松崎邸に頻繁に訪れるようになった。ちょうど卒業を控えていた内田は開発部長と知り合いになり、また小松崎からも、絵描きなどを目指さずイマイに入れば安泰だ、と進められた。

当時イマイは絶好調で、新設の全自動工場などに加え立派な社員寮がふたつあったと言う。内田は進路の安定を考えイマイに入社すると、今度はイマイの社員として小松崎邸にボックスアートの回収に赴くこととなる。

しかし一年も経たぬうちに事態は急変し、イマイは会社更生法の摘要となった。そして、バンダイはイマイの工場、社員の一部も引き受けることとなり内田はその流れで、バンダイ模型のデザイン課へ転入することとなった。

その後はバンダイのデザイン部勤務となり、プラモデルのパッケージ・デザインを手掛け、バンダイがサンダーバードを展開する際には、再び彼が担当となって、新作パッケージを小松崎茂に発注するに至る。いくらバンダイと言っても、一見さんでは新規の仕事を受けてもらえたかは分からないが、彼が橋渡し役として存在したことは実に幸いだった。当時の小松崎の仕事ぶりは尋常ではなく、※殺人的な仕事量をこなしており、また再生したイマイも新規でサンダーバードのパッケージを依頼することとなるのだが、小松崎茂は、まるで使命ででもあるかのように、いずれの仕事も請け負い、サンダーバードを描き続けた。

こうして旧イマイ、再生イマイ、新生バンダイ模型のサンダーバードのボックスアートは、すべて小松崎茂が一手に引き受け、それらのイラストは現行のアオシマのサンダーバードプラモにも継承されているのだ。

※殺人的な仕事量
　小松崎茂の人気はとにかく随一で、従って稼ぎも多く、弟子多数に加え、来客に対しては最寄り駅までお抱えの運転手が自家用車で迎えに来たと言う。この時期、多くのプラモメーカーが小松崎にボックスアートを依頼していた。

●バンダイ宇宙科学シリーズ《国際救助隊》ジェットモグラタンク

◀イマイのモーター走行ジェットモグラの金型を使用したバンダイ初版。イマイのパッケージアートを使用し、商品名もジェットモグラタンクとしている。

このためイマイにはモーター走行の金型は無く2000年に新モグラを設計することに。左下の小松崎茂サインがギリギリ切れてしまっている。

▼イマイ版を踏襲してジェットモグラ本体のタイヤはゴム製だったが、後にプラスチックタイヤに代えられる。成型色もほぼイマイ版に近い。

▲成型色やアッセンブルもほぼイマイのそれを踏襲。黄色い小さい箱は、アクションプラモに不可欠なマブチモーター。チューブ入り接着剤も同梱。

●サンダーバード国際救助隊 ジェットモグラ

▼80年代になりガンプラが登場したが、まだ『サンダーバード』は再放送のたびに生産されていた。商品名はタンクが外され"ジェットモグラ"に改訂そして箱絵は小松崎茂が降板し、エアブラシ仕様となり価格も1,200円となった。ドリル2段回転が廃止、タイヤもプラスチックとなるなど効率化が進んだ。このあと1992年にも再販される。

▲1973年再販600円となり、箱絵は従来版とは左右反対方向を向いている。キット自体の仕様はほぼ旧イマイ版と同じ。ジェットモグラは人気があり、8版、9版と増産され続けたヒット商品だった。

1966 2021

1972年－バンダイ・サンダーバード秘密基地とは？

バンダイが新金型として生産したサンダーバード1号秘密基地、同2号秘密基地、同3号秘密基地、同4号秘密基地は、ゼンマイ駆動のサンダーバード1号からサンダーバード4号にそれぞれの格納庫周りをイメージしたベースを加え各500円としたもの。全部を買い集めると1号から5号が揃い、島のベースは合体できるというアイデア商品だった。かつてのイマイの秘密基地同様に、島自体はややくすんだオレンジ色の成型色だが、山頂部にはグリーンの塗装、下方には海をイメージしたブルーを塗装することでトレーシー島を演出している。

買い集めるとひとつになるというキットはサンダーバードではこれが初めてだ。ただ島のディテール表現などからもイマイ時代よりは対象年齢を下げていることが見て取れる。これらの発売も『サンダーバード』再々放送と時期を合わせていた。

『サンダーバード1号秘密基地』は、※トレーシー邸とその上にレーダー、そしてプールを模したベースが付属。サンダーバード1号自体は、スマートにデフォルメされ、反して大きな駆動輪が付けられていた。ステアリング用の前輪一輪も、ゼンマイボックスに取り付けられ、ゼンマイボックス自体を機体から取り外すことができた。赤い機首コーンはスプリング発射するが、翼の開閉は出来ない。トレーシー邸の屋根から

※トレーシー邸とその上にレーダー
作中ではトレーシー邸にレーダーは無く、これはイマイが『サンダーバード秘密基地』をプラモ化した際のイマイのアドリブで、バンダイはそれを踏襲していた。

レーダーが出て来るのはイマイの秘密基地を踏襲している。ミニ・サンダーバード5号が付く。

『サンダーバード2号秘密基地』は、ベースの岩山に大きな扇型をしたクリフハウスが付属し、滑走路をイメージしたベース、そしてヤシの木が付属する。サンダーバード2号自体はゼンマイ駆動で走行し、着陸脚は取り外し式。コンテナは着脱出来るが、コンテナの扉が開かないのは、子供にはちょっと残念か? ただ小さいコンテナにゼンマイ搭載のため、扉が開いてもメカの搭載スペースは限られるかもしれない。

『サンダーバード3号秘密基地』は発進口にあたるラウンドハウスが付属し、その中にサンダーバード3号を立てられる。ベースには10本のヤシの木が付属、サンダーバード3号は、このシリーズのための新規商品で、機体がレッド、とその他パーツがシルバーグレイ。3輪のゼンマイボックスが付くが、着脱式で取り外すことが出来た。このシリーズ共通でゼンマイ巻き上げねじはプラスチック成型。

最後に『サンダーバード4号秘密基地』だが、サンダーバード4号は作中ではサンダーバード2号の4番コンテナに搭載されている設定のため、※専用の格納庫や専用の発進口がない。そのため、ベースには苦労したようで、岩戸のような扉付の格納庫をオリジナルで表現。サンダーバード4号自体も新規の小型モデル。ゼンマイ走行するが、透明キャノピーは無く、船体との一体成型だった。

※専用の格納庫や専用の発進口がない

サンダーバード4号は4番コンテナ内で待機しているのは間違いないが、秘密基地から発進する際に、どこから出て来るのかの描写が無く、その点ではイマイが秘密基地プラモ化の際、アドリブで岩戸が開いて出てくる設計としている。

●1972年 バンダイ模型 サンダーバード秘密基地シリーズ

▲小松崎茂によるパッケージは、発射施設を少々強引にフレーム内に収めた配慮が窺える。それぞれにミニ・サンダーバード5号付属のため、背景にサンダーバード5号が描きこまれているが、なぜかサンダーバード4号にだけ描かれていない。発売当初いずれも500円で再販ごとに価格は上昇した。

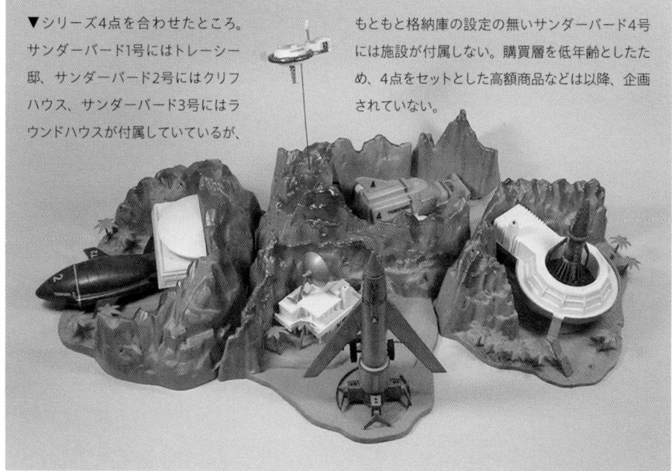

▼シリーズ4点を合わせたところ。サンダーバード1号にはトレーシー邸、サンダーバード2号にはクリフハウス、サンダーバード3号にはラウンドハウスが付属していているが、もともと格納庫の設定の無いサンダーバード4号には施設が付属しない。購買層を低年齢としたため、4点をセットとした高額商品などは以降、企画されていない。

このシリーズにはマスコミ・シリーズと銘打たれたが、これは同時にバンダイ模型が展開していた『仮面ライダー』や『人造人間キカイダー』『超人バロム1』『秘密戦隊ゴレンジャー』などバンダイがスポンサードしている作品のプラモデルに冠したもので、今風に言うならテレビキャラクター・シリーズなどに相当するかもしれない。

1974年〈ミニ〉サンダーバード秘密基地

サンダーバード秘密基地シリーズが500円であったのに対し、さらに低価格の300円で展開したのが、この〈ミニ〉サンダーバード秘密基地シリーズだ。前段の秘密基地シリーズと、さほど内容が変わらないようにも思えるが、価格からも解るとおり、より低年齢層を対象に、より簡略化したベースが付属するシリーズで、ベースの島自体は各機体ともに共通であり、付属するサンダーバード1からサンダーバード5号は すでに発売されていた基地シリーズ付属品からの流用だ。そういう意味では製作・開発コストは低いかもしれない。

島のベース自体もだいぶ簡略化、小型化され、平たい砂浜をイメージしたベースに岩山を接着するという簡易式で、これに6本のヤシの木とそしていずれにもミニ・サンダーバード5号が付属する。基地シリーズに付いていたトレーシー邸やクリフハウスなどの建造物は廃止され、救助メカとベースとヤシの木、という構成だった。

●1974年 バンダイ模型『ミニ・サンダーバード秘密基地』各300円

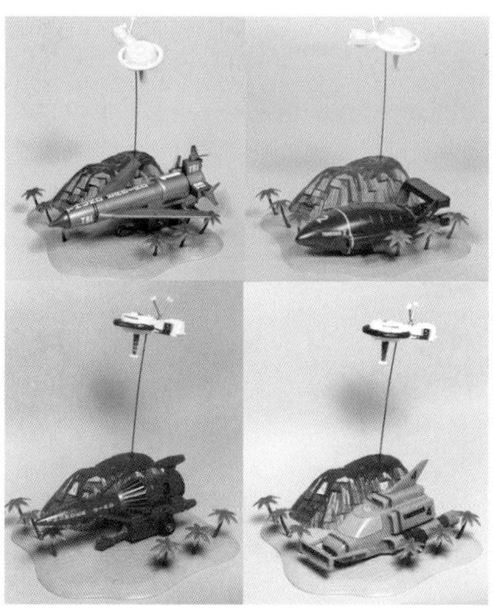

◀これらに付属するサンダーバード1号からサンダーバード4号は前述の秘密基地シリーズと同じで、ベースになる島のディオラマをより簡素化、小型化し再構成した商品。バンダイ模型の人気キャラクター『仮面ライダー』『人造人間キカイダー』を扱った『マスコミシリーズ』に加えての展開だった。

▲パッケージには小さく「マスコミシリーズ」とある。救助メカたちの収納施設は無く、島をイメージしたベースが付属するだけなので、パッケージも構成に苦慮したことが見て取れる。それぞれが島をかすめて飛行する状態で描かれており、オイルショックによる物価の高騰とプラスチック素材の値上げを受けての廉価版だと考えられる。

バンダイ模型の成長

サンダーバードの再販やオールジャンルのプラモ生産を目指したバンダイだったが、やがて『宇宙戦艦ヤマト』のプラモ化権を得ると大ヒットを放つ。このヒットに至るまでには色々な障壁があった。当初、ヤマトのプラモデルに旧来同様にゼンマイとタイヤを付けて発売したところ、段ボール箱数個分の※意見書が届いた。それは「ヤマトにタイヤなど付けないでほしい」と言うものだ。ヤマトはもともとハイティーンに向かって作られた作品であるため、そのファン層と、旧イマイ時代の感覚で作られたプラモとの間には齟齬が生じた、というわけだ。イマイからの移籍組は、アクションプラモの設計は手慣れていたが、しかしヤマトにおいても、かつての『サンダーバード』や『マイティジャック』の要領で、走行アクションプラモとして設計したために購買層の嗜好性、年齢層とは合致しなかったのだ。ヤマトのプラモは走行アクションを取り除いて再販して成功することとなった。

このような経験によって、特撮、SF、アニメと言っても一括りではなく、作品ごとに世界観や、対象年齢が異なり、それに合わせた商品作りを行うという繊細さが必要なのだ、ということを認識できたのだ。

またヤマトでは、非常に売れ行きのいい商品については“増し型”を製作し量産体制を取った

※意見書
70年代初頭は景気も良く、どんなカテゴリーのプラモでも初版は10万個単位で売れたため、あまり細かいリサーチは必要なく、バンダイ模型でもヤマト以降にリサーチを重要視し始めたと言う。

のだが、なんとその“増し型”はとうとう使われることは無かったと言う。これは他ならぬイマイ時代からの、ジンクスのためである。

イマイは最盛期、特に『サンダーバード』において沢山の“増し型”を作り、一挙に生産数を増やした。しかしその絶頂の直後の倒産である。それらを体験したスタッフたちもバンダイ模型には少なくない。従って“増し型”はある意味徴りの象徴、とされたということであろう。さらに、現在総生産数7000万個と言われる一番最初の『ガンプラ』である1/144ガンダムは間違いなく世界で一番売れたプラモデルである。が、このガンダムにはなんと“増し型”が無いのだ。これは“増し型”を避けるため、パーツの部分部分を駒として分割させ、補強、あるいは新規とする際に、金型の一部分ずつを入れ替えていくという大変細やかで手間のかかる方式を採っているためなのだ。こうして金型の複製である“増し型”を製作、使用することを避けているのである。しかしそれを、まことに非効率なジンクス、とは笑えない。それほどイマイの絶頂からの転落は、体験者たちにとっても衝撃だったのだ。

やがてバンダイは世界のトップランナーであった米国モノグラム社との提携をするなどして、業界での確固たる地位を固めていくこととなる。

イマイの再生

今井科学倒後、数名の元イマイ社員は清水で『日研』というプラモメーカーを立ち上げて、アポロ月着陸船や、クラッシックカーなどいくつかのプラモデルを生産していた。しかし、イマイの再生計画は思ったよりも早く進行し、再建の目途が立ったとして今井英一・創業社長から、戻ってこいとの声が掛かった。腹心の部下であった開発部長、そして入社早々倒産劇を体験した荒田茂たちは、これに応えて再びイマイへと集結し、再生イマイとして活動を再開する。1971(昭和46)年、総勢10名に満たない再出発だった。

イマイに残されていた金型でもっとも有望であったのは、やはり『サンダーバード』であった。主要なサンダーバード機たちの金型はバンダイへ売却されたものの、人気アイテムには金型の複製である“増し型”があったため、サンダーバード1号から5号に関してはスタンダード版が残されていたが、ただジェットモグラタンクのスタンダード450円モーター搭載版だけは※手元に金型が残されていなかった。

同時期にバンダイがサンダーバードプラモを展開中だったため、イマイが再販を行うと、イマイ、バンダイ双方のサンダーバードプラモが市場に出回ることとなる。

正式な形での記録は残されていないが、当時の開発部長であり、イマイ自主解散時の会長に

※手元に金型が残されていなかった

人気のジェットモグラタンクには“増し型”があったが、破損しておりすべてのパーツを揃えられなかったという。従ってスタンダードとされたキットは70〜90年代までバンダイが発売し、2000年に再生イマイが新規ジェットモグラを設計する。

1966 2021

聞いた記録が残っている。

「再建後、最初の一年で製作した金型は、『マッハGOGOGO』のマッハ号だけだった。あとは残された『サンダーバード』の金型と、コンテナセットが良く売れた。売り上げは6億に届いた」としている。コンテナセットは当時スタンダードといわれたサンダーバード版サンダーバード2号用の差し替えキットだ。バンダイがスタンダード2号を売れば、必然的にコンテナ・シリーズも売れるという訳だ。『サンダーバード』は再放送が繰り返されたので知名度は抜群だ。低価格であれば、ある程度コンスタントに売れた…というわけだ。

『サンダーバード』は1971（昭和46）年の年頭から再放送、そしてまた同年10月からはジェリー・アンダーソンの最新作※『謎の円盤UFO』も始まったのも援護射撃となったかもしれない。

バンダイはこの『謎の円盤UFO』もシリーズとしてプラモ化した。ボックスアートはやはり小松崎茂であった。

その際、イマイからの転属組は得難いスタッフだった。アクションプラモを企画、設計すると言っても、一朝一夕で出来るものではない。サンダーバード後期のイマイのキットは値段と比しても、アクションの充実にしても完成度が高かった。いや『キャプテンスカーレット』も『マイティジャック』も良く出来ていた。そのノウハウを引き継いで『謎の円盤UFO』シリーズ4点を発売。いずれもゼンマイ搭載だが同時に形

※『謎の円盤UFO』
1970（昭和45）年10月 ～ 1971（昭和46）年まで日本テレビ系列局で放送されたジェリー・アンダーソン作品。緊急不測の事態を最新のメカで対処するという根底はサンダーバードと同じ。もともと空軍のレーダー用語であった未確認飛行物体を示す"UFO"という単語を一般化した作品。

状も良く把握し、転写マークも作中のそれを踏襲していた。当時は版権窓口の東北新社から詳細な写真資料が受け取れたそうで、それぞれがキャラクター・マーチャンダイズの流れをコントロール出来るようになってきたと言える。サンダーバードの時代にも各メカの多面写真はあったが、『謎の円盤UFO』の時代になると、撮影用ミニチュアはもちろん、登場人物も制服などのディテールが判別できるような写真資料があり、版権窓口の東北新社によってそれらを商品化するプラモメーカーや玩具メーカー、お菓子メーカーに参考として渡された。このためフーセンガムのパッケージにも撮影用モデルの写真が使われていたりもした。

バンダイの『謎の円盤UFO』の『ムーントランスポーター（ルナキャリア）』には撮影用ミニチュアと同じ筋彫りが表現されていたし、『インターセプター』にも作中と同じく、機体各所にメンテナンス作業の沢山の注意書きの転写マークが付いていた。

ライセンスを管理していた東北新社も、イマイの再起にはいろいろと配慮したと思われ、イマイとバンダイとの“事情”を知っていればこそ、通常では一社にしか許諾しない『サンダーバード』プラモの販売や、また『謎の円盤UFO』に関しても、販売時期を一年間ずらすことでイマイにもプラモ化のライセンスを許諾したため、再生イマイも『謎の円盤UFO』のプラモデルを開発・生産している。

1971年－再生イマイの青いペネロープ号！

● 1971年（再生イマイ版）『サンダーバード ペネロープ号』500円

▲1984年再販700円。箱絵は青いままだが初版まで遡っても一番作中のイメージに近いサーモンピンクの成型色となったFAB 1。FA-130モーターにて走行する。キャノピーはなぜかクリアーブルーだった。

◀1971年版500円のメタリックブルーのペネロープ号。パッケージも成型色も青とされた。これが“青いペネロープ号”の始まり。

◀1971年発売のブルーメタリック成型のキット。青いボディカラーで描いて欲しいとの依頼よって描かれた“青いペネロープ号”。サインにも71年の年代表記がある。赤い箱はモーターだが、モーター別売で500円。

◀1974年発売600円となった宇宙科学シリーズNo.31との表記がある赤い成型色のキット。黒いシャシーにメタリックシルバー。モーターは別買いの必要があった。ピンクでなく赤いボディはこの74年版のみ。

1967（昭和42）年の初版では、車体色はピンクであったが、1971（昭和46）年に再販したペネロープ号は青い成型色となっていた。そればかりかパッケージの車体色もブルーだったのだ。不可解な出来事だけに、当時それらを指示したご本人に尋ねたことがある。すると答えは単純なもので、※ピンクは男玩として相応しくないと感じたからだそうだ。2006（平成17）年当時の担当者の談によると、成型色をブルーにしたため「小松崎先生に描いていただいたピンクの箱絵も（成型色に合わせるため）印刷工程で青くした」との証言であったが、これは残念ながら記憶違いのようであった。

この青いペネロープ号のパッケージはイマイ再生後の1971（昭和46）年に初めて使用されており、その後1974（昭和49）年、1984（昭和59）年と再販のたびに使用されて来たが、1992（平成4）年のブーム再燃時に印刷工程において車体色がピンクに変更された。この箱は英国へ輸出される際もそのまま使用されたものなので、さすがにご当地英国へは、青く変更したペネロープ号ではよろしくない、と判断したのかもしれない。

1971（昭和46）年の再販時には車体の成型色も青としたが、1974（昭和49）年、1984（昭和59）年の再々販時には、箱絵は青のままだが、実は早々に成型色はピンクに戻している。そのため箱では青いが中身のキットのボディーカラーはピンクという齟齬が生じてしまっていた。

※ピンクは男玩として相応しくない

昭和らしい発想だが、『マッハバロン』のメカたちをプラモ化した際、アオシマ、ポピーの商品は作中同様『キスマリン』『キスバード』としたがイマイだけは執拗に“キス”を嫌い、『マッハマリン』『マッハバード』と商品名を変更している。つまりこれらの改変は当時のイマイの嗜好性であったと言える。

1966
2021

起死回生は『ロボダッチ』に託された。

再建を果たして5年が経とうとしていたイマイに、またしても危機が訪れた。当時の様子を経営者は「金庫には来月分の社員の給料しかなかった」と語る。そんなとき今井創業社長の脳裏にひとりの人物が浮かんだ。小さな木製模型メーカーであったイマイを、一躍業界トップへと押し上げたクリエイター、他ならぬ小沢さとるだった。

小沢さとるなら、もう一度『サブマリン707』のようなヒットを、生み出せるはず、と考えたのだ。しかし小沢さとるは木更津にあって入院治療を余儀なくされていた。『サブマリン707』『青の6号』に加え※『ジャイアントロボ』の執筆などが続き、十二指腸潰瘍を拗らせ長期入院療養生活を送っていたのだったという。

そんな小沢の元へと日参した今井社長は協力を依頼するも、小沢さとるは漫画家には未練が無かったが、生来の気質から断り切れなくなり、もう一度協力することに合意してしまう。

容体もままならない状態で、イマイへと出向き10年近く温めていた新キャラクターの創造に勤しんだ。そのコンセプトは“一切マスメディアに頼らない”唯一子供の口コミだけで広がっていく可能性を秘めたキャラクター『ロボダッチ』だった。

小沢さとるの漫画付きで80円、という低価格

※『ジャイアントロボ』
マンガ連載開始時、小沢さとるが執筆していたため、12話までは横山光輝、小沢さとるの共著と記されていた。

でスタートしたシリーズが、再生イマイの運命を握っていた。会社の継続には、1976（昭和51）年度の年末までに7,000万円が必要とされており、到達できなければ再びの倒産となるのは必至だったと言う。

しかし東京の問屋筋は懐疑的で、いい返事は帰ってこなかった。「こんなものは売れない」と断ずるばかりであったが、そんな中唯一、大阪の問屋であるフジ模型だけは、小沢さとるの才能と、そしてロボダッチの大ヒットを信じ、「生産した分はすべてウチが引き取る」とまで明言したと言う。

かくして出荷されたロボダッチは初年度だけで1,000万個、売り上げにして24億、次年度27億、37億、50億と、それまでのどのアイテムよりも好調な売り上げを計上し、見事にイマイは危機を乗り切ることが出来たのだ。また社長の放漫経営にも原因がある、そう考えた小沢は、彼の伝で当時の経団連会長の実弟を招き、イマイの健全経営への指導を実行したとされる。社長自身は誰よりも早く出社し、窓を拭き机を整理、整頓すると言う義務を課したのだ。関係者によると当初、社長はそれを誠実に実行していたと言う。

危機と再生を繰り返す

このようにして70年代を乗り切ったイマイだったが、80年代、業態の大半が再び既存の金型による再生産となっていた。その結果、1966

(昭和43) 年以来、継続している『サンダーバード』や『キャプテンスカーレット』、『マイティジャック』などの商品に限っても、パッケージや仕様を変えた再生産ばかりが目立ち商品のリピートが常態化していた。

しかし80年代になるとTVアニメとしてブレイクした『超時空要塞マクロス』の商品化で再び大ヒットを取った。マクロスはストーリーもさることながらメカニックのギミックが好評で、玩具メーカーであるタカトクトイスが販売した変形玩具もブレイクし、相乗効果で多品目を取り揃えたイマイのプラモも大ヒットとなった。この時のイマイの商品は真摯に設計されており、往年のキャラクタープラモのトップランナーの実力健在なりと思わせるものがあった。当時上野で行われた発表会に筆者も同行しており、発表会終了の後、社長、専務が揃って上野駅前でタクシーに乗った。当然都内のホテルに宿泊するのかと思い、宿泊先を訪ねると、行き先を「静岡、今井科学!」とタクシードライバーに告げた。これを放漫とは言わないが、再び往時の隆盛を取り戻したのだ、とする気概は充分に感じられた。しかしイマイはその後、TVアニメのスポンサーとして数本のアニメをほぼ連続して提供するが、やがてスポンサー料の支払いが追い付かなくなり、この路線も破綻し、この時点でまたもや危機を迎え、金型が他社へと流出する憂き目にあうこととなる。

Chapter 4

1992年 →

サンダーバード・ブーム再燃

再生イマイ・バンダイのサンダーバードプラモ

ビデオグラムがムーブメントを作る時代

かつて60年代、イマイとバンダイが共闘した際の成功要因は、テレビによる再放送が大きかった。その後も『サンダーバード』は※再放送が繰り返され、その都度プラモなど関連アイテムの再版も行われてきた。しかし、80年代に異変が起きる。

ビデオグラムの登場だ。好きな映画や番組を二番館や再放送を待たなくても、好きな時に好きなだけ再生して鑑賞できるというビデオグラムの登場は特に趣味の世界において大きな革命だった。

通常の映画コンテンツでも好きな作品なら何度でも見たいとは思うだろうが、事が特撮とかSFとなると少しだけ話が異なって来る。特撮、SFは無数のディテールで構築されている。それらを確認・解明してこそ真の魅力が見えてくるのだ。まさにそうした作品のひとつ『サンダーバード』だった。

誰よりも先んじて『サンダーバード』のビデオグラムを企画した、元バンダイビジュアル社長、※渡辺繁氏に話を聞いた。無類の特撮ファンでもある彼が1983（昭和58）年、日本の窓口である東北新社に出向き、『サンダーバード』のビデオグラム化を相談したことからそれは始まる。

しかし、当時はテレビ番組のビデオグラム化などは、海外まで視野を広げても前例がない。つまりテレビで放送された作品をホームビデオ化した例は皆無ということだ。そこで話は立ち消えてしまった。

※再放送が繰り返され

1970（昭和45）年、1974（昭和49）年、1980（昭和55）年、1987（昭和62）年、1992（平成4）年、2003（平成14）年、2004（平成15）年と再放送された。

※渡辺 繁 プロフィール

1957（昭和32）年福島県いわき市生まれ。

1981（昭和56）年バンダイグループ・ポピー配属後、版権管理業務、男児玩具開発を経て、バンダイの新規事業である映像部門を担当。アニメ、特撮を中心とする作品編成を基盤に「EMOTION」レーベルを創設。

初のOVA『ダロス』を担当したほか、バンダイ初の劇場映画『王立宇宙軍 オネアミスの翼』を企画。またディズニービデオでは日本初のセルスルー・マーケティングの担当も経験した。主なプロデュース作品に『GHOST IN THE SHELL／攻殻機動隊』『人狼 JIN-ROH』『メトロポリス』『スチームボーイ』『電脳コイル』『攻殻機動隊 STAND ALONE COMPLEX』『仮面ライダーZO』『ウルトラマンパワード』『HANA-BI』などがある。藤本賞奨励賞、アニメーション神戸功労賞など受賞。株式会社サンライズの取締役も12年間務めた。

現在株式会社スカイフォール専務取締役。『シド・ミード展』を開催。

しかし※スーパー・スペース・シアター版であれば可能かもしれない、という情報がもたらされた。そして発売元・東北新社、販売・バンダイビジュアルとしてリリースに漕ぎつけた。※『サンダーバード』を始めとして『海底大戦争スティングレー』から『スペース1999』という内容だった。しかしそれらも声を当てた声優との契約についてはクリアーされず英語版だった。やがてすぐに※LDもリリースされるが、販路自体から開拓しなくてはならない時代であった。しかし『サンダーバード』を始めとするジェリー・アンダーソン作品には、根強いファン達がいると信じ、アンダーソン作品のOP集『サンダーバード・ヒストリー/栄光のITCタイトル集』をリリースする。2,500枚売れればニーズありと判断し、次の段階である全話セットの企画を模索した。するとそのOP集のセールスは5,000枚を超え、手ごたえを感じてサンダーバード全32話の前半分をITCメモリアルボックス『サンダーバード1号』としてサンダーバード1号の赤いノーズコーンをイメージした赤いボックスで、続いてITCメモリアルボックス『サンダーバード2号』としてサンダーバード2号の緑色の機体をイメージしたグリーンのボックスにて発売した。当時としても46,800円と非常に高額であるため、社会人が購買層としてもボーナス時期でなくてはと考えてリリースした。しかし売り上げは期待を超えて1号が13,000個、2号が11,000個という好成績を残した。間違いなく『サンダーバード』には熱いコア層が存在することが明らかとなったのだ。

※スーパー・スペース・シアター版

英国のテレビ番配給会社ITCが、ジェリー・アンダーソン作品をアメリカのローカル・テレビ局向けに、90分スペシャル版に編成・セレクトした特別編集版。それならビデオグラム化が可能ということになった。

※『サンダーバード』を始めとして

『海底大戦争スティングレー』2タイトル、『サンダーバード』3タイトル、『キャプテンスカーレット』2タイトル、『ジョー90』1タイトル、『謎の円盤UFO』1タイトル、『スペース1999』1タイトルという内容だった。

※LDもリリース

サンダーバード初のLD化を告知するカタログ。

ビデオやLDを静止画で凝視すると・・・

前記したとおり、初放送時に視聴者たちの大半がモノクロの小さな受像機で『サンダーバード』を見た、と書いたが、一過性の視聴者であればそれ以上何も望まないかもしれない。しかしプラモデルを作ろうとしたら、そこには留まれない。解像度の低いブラウン管では得られる情報は限られているため、当時のイマイのプラモデルには限界があった。しかし視聴者が大人になり、なんでサンダーバード1号を吊るしているワイヤーは見えないのだろう、とか、なんで走行中に撮影用ミニチュアたちはガタガタと跳ねないのだろう、とか、そもそもなぜ“リアル”に見えるのだろうか、などと想像を巡らせ、好きだったメカの実際の色や形などを探求し始めると、それには限りがない。

実際、映像媒体がLDとなって画面を静止できたり、それをキャプチャーしたりすることで、従来の何十倍もの理解が進み、もちろんそれはプラモデルの企画、生産、またはそれらのユーザーとしても時に有用な情報となる。この80年代中期の「映像を所有できる」状態はとりもなおさず、プラモデルやそれに関連したさまざまな商品などにも多大な影響を与え、より正確な商品が作られるようになっていった。そして今までテレビの放送では知ることの出来なかった情報は、また新たな興味や好奇心を生むことになるのだ。

またバンダイビジュアルの渡辺氏は、ガンダムが過熱して行く過程において、当時※ホームビデオによる録画率の高さにも注目していた。その指向性が後の『ガンプラ』ブームとは無縁でないのかもしれない、との推測から、『サンダーバード』などのジェリー・アンダーソン作品が持つ、似たような指向性。つまり、映像を見て楽しむだけではなく、彼らは登場するメカやガジェットの造形とかバランスとかディテール、色等に目を止める、つまりモデラー的感性や観察眼が通底する要素なのではと考えた。ビデオグラムなので、バンダイビジュアルのITC（ジェリー・アンダーソン）作品の広告は、当然ビデオ関連誌にも出稿したが、もう一方で模型雑誌の『月刊モデルグラフィックス』誌にも出稿した。そのような経緯で※1985（昭和60）年はジェリー・アンダーソン作品復活のひとつの起点となった。筆者もこの年からモデルグラフィックス誌にITC（ジェリー・アンダーソン）作品の連載を始めており、またジェリー・アンダーソン作品のメカの工作記事も同誌で始まった。池田憲章、伊藤秀明、山田輝穂ら研究家たちも、写真集や研究本を発行し始め、1988（昭和63）年には前述のモデルグラフィックス誌掲載の工作記事が一冊の本にまとまった。『サンダーバード』を始めとするジェリー・アンダーソン作品のメカは散々プラモデルとなって日本中の子供たちが作ったが、それらの適切な工作指南本は『サンダーバード』が上陸して20年を超えたこの年、初めて刊行されたのだ。

※ホームビデオによる録画率の高さ

1976（昭和41）年に25万円超えでビデオデッキが登場した時点で、アニメ特撮ファンの録画の逸話は残されているが、80年代に録画機が普及するとガンダムの再放送などの録画が盛んに行われ始めた。

※1985(昭和60)年はジェリー・アンダーソ作品復活のひとつの起点となった

サンダーバード上陸から20年が経とうとしており、当時の視聴者が大人になったことが大きいがビデオグラムの登場は、彼らの懐古を満たすだけでなくブーム再燃の起点となった

久々の新製品はデフォルメ・サンダーバード

1989（平成1）年になるとCDボーイという新商品を展開する。80年代中期よりガンダムを極端にデフォルメした『SDガンダム』がヒット商品となった。それに先んじて70年代後半から“飛行機のハセガワ”として知られるプラモデル・メーカーハセガワが※『たまごひこーき』を発売して注目を集める。実在の航空機を卵型に極端にデフォルメしたシリーズで、リアルさを追求して来たスケールモデルメーカー発であったことも注目を集めた。実機の再現に留まらず、ユニークな展開で商品を開発し、支持を集め2021年現在も継続されている。

このような動向はさまざまな影響を与え、多くの既存のキャラクターのデフォルメ商品を生んだ。イマイのデフォルメ・サンダーバードもそうした流れの一環だ。

サンダーバード・プラモの創出に参加

筆者は1980（昭和55）年〜1983（昭和58）年までホビージャパン編集部に在籍し1984（昭和59）年からは仲間と企画事務所を設立し、ホビー玩具の企画、アニメ・映像の製作も行っていた。我々の企画のひとつにスポンサーとして今井科学、学習研究社が出資を決め、それ以来、イマイ、学研、その他ホビー関係の企業の依頼でアニメ、ホビー商品の企画を行っていた。

当時イマイの専務と前出の荒田氏が出張で東

※『たまごひこーき』
スケールモデルにおいては、実車や実機を冷徹に再現する姿勢が評価されるが、そんなメーカーがポップでハッピーなイメージで航空機を再現したことこそがインパクトと感動を生んだ。

京へ来られると、大抵事務所に顔を出された。デフォルメ・サンダーバードの依頼は、サンダーバード・メカを極端に可愛くデフォルメしたデザインを、ということだ。当時は※上質紙に鉛筆でスケッチを描いた。私が描いたものをイラストレーターが清書し、それをイマイに納品するというかたちで、ものすごい突貫工事で進められ、メカデザイナーの山根公人がパッケージを描いた。イメージは“アニメ的”という発注であったため、セルにイラストの線画を転写し裏からアニメ用ペイントで着色した。

仕事を受けておいて、こう言うのはよろしくないが、『サンダーバード』までそのような時流に乗るのか、と思ったことを覚えている。が、しかし、グロス仕上げの原型見本が仕上がって来ると、これはイケると確信できた。木型を基にシリコーンで雌型を作り、そこに造形剤を流し込んで、見本市の陳列用に複数作ったものだ。職人が丁寧に塗装したそれらは非常に美しく、ゼロエックス号もシリコーンゴム型からの複製で、メタリックブルーの塗装が素晴らしく、一番気に入っていたが、残念ながら発売されなかった。

※上質紙に鉛筆でスケッチを描いた。

コピー用紙に鉛筆で描いていたことに隔世の感があり、従ってスケッチは残されていない。

CDボーイ・サンダーバード

商品名はコンパクト・デフォルメの頭文字をとってCDボーイとした。

●CDボーイ・サンダーバード1号は翼が開閉式。機首が取りはずし式でパイロット・フィギュアが見える。着陸脚は金属製だった。発売当時600円。

●CDボーイシリーズのサンダーバード2号も着陸脚は金属製。コンテナの着脱が可能で。サンダーバード4号とジェトモグラのミニメカが付属。マーキングはやはりシール仕様。発売当時600円。

●CDボーイシリーズのサンダーバード4号は、船首照明器が可動で救助ツールが内蔵。フロントウィンドウはクリアーパーツだった。

●CDボーイシリーズ・サンダーバード5号にはやはりデフォルされたサンダーバード3号が付属しドッキングする。スタンド付き。

●CDボーイシリーズ・ジェットモグラタンクは、このシリーズ唯一の救助メカ。先端ドリルは手動で回転。モグラ本体は車体から取り外せ、またモグラが傾斜して地中進行姿勢もとれた。

●CDボーイシリーズ・FAB 1はコロ走行のみのアクションだがバブルキャノピーが再現されデフォルメされた運転手のパーカーと、そしてレディ・ペネロープが乗っていた。

CDボーイはAとB、2つのタイプで展開。Aはドライバー使用にて簡単に組みあがることからイージーキットとし、BはIC回路サウンドを搭載した音楽の流れる仕掛けがあった。テーマソングが流れる仕組みは、小さな光センサー方式のICサウンド回路とスピーカーが内蔵されているためだ。CDボーイは従来にはないシリーズとなり、後に簡易ベースを付属させたディオラマセットなども展開していく。

◀発売当初の告知チラシ。サンダーバード1号とサンダーバード2号は製品だがその他はすべて木型から型取りした樹脂成型の試作見本なのでクリアーパーツがない。ゼロエックス号は3分割できたが、残念ながら発売されず代わりにAFAB 1がシリーズに加わることとなる。Aシリーズが各600円、Bシリーズが1,000円。

▲サンダーバード1号のパッケージもアニメのセル塗装仕様でコミカルな仕上がり。この時期は「IMAI」という欧文ロゴが多用されていた。サンダーバード2号はコンテナ換装で2つのミニメカが付属した。マーキングは転写マークではなくシール。Aシリーズが各600円、Bシリーズが1,000円。

▼白い箱はテーマミュージックを奏でるICサウンド回路付きでその有無が価格の違い。ボタン電池使用で暗い状態から光を受けるとサンダーバード・テーマミュージックが一回流れる仕掛けとなっていた。箱に貼られた長方形の証紙は（社）日本音楽著作権協会の証紙。どのキットもドライバーとネジによる組み立て。

◀『CDボーイサンダーバード1号』は機首が取れて機体内にデフォルメされたパイロットが見えた。コロ走行可能なように着陸脚は金属製でタイヤも付属。翼の開閉も可能。Bバージョンはこれにサウンド回路が付属する。

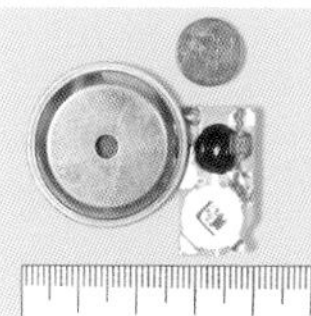

◀機体に内蔵される40㎜程度の小さなICサウンド回路とスピーカー、そして小さい円形がボタン電池。Bタイプにはこの回路が付属した。パッケージには接着剤不要の表記があったのはドライバー使用のため。

●『サンダーバードCD秘密基地』

CDシリーズ好評につき、新規製作した島のベースとヤシの木を付属させた簡易ディオラマキットも発売。それと同じ仕様にサウンド機能を追加した『トレーシーアイランドCDボーイ・サンダーバード2号』1,200円ほかサンダーバード1号、サンダーバード4号、ジェットモグラバージョンもあり。それぞれベースの形が異なっている。

1992年、サンダーバード・ブーム再来！

いつか日の目を見ると信じていたイマイは、※サンダーバードの金型だけは倉庫共々維持し続けてきたのだ。そしてそれが報われる時が来た。

1991（平成3）年の冬。社員が出社すると、ファックスの紙が無くなるほどの注文が寄せられていた。それは『サンダーバード』25周年を迎えたご当地英国ロンドンからの、クリスマス商戦に向けての大量注文だった。英国での放送は1965〜1966年なので1990〜1991年に盛り上がったということだ。前述のように日本でも1985（昭和60）年以降、次第に盛り上がりを見せ、関連書籍の発行も始まり、機運は高まっていたがまだ起爆剤がなかったのだ。

同年の夏ころだろうか、当時、キャラクター・マーチャンダイジングを推し進めていた※学研ホビーカルチャー事業部から相談を持ち掛けられた。来年度（1992年）のメインに据えるキャラクターを、某キラーコンテンツにするか、『サンダーバード』にするかで決め切れていないと言うのだ。一年間の事業部の売り上げを左右する大事な決断だ。しかしその時は迷わず『サンダーバードでしょ』と答えた。適当なことを言ったわけではない。その時点で『サンダーバード』関連書籍の執筆や、ホビー商品、音楽企画、そして当然イマイの新規プラモデルの企画などが、私や私

※サンダーバードの金型
金型は1アイテムひとつとは限らない。大型キットは当然金型も大きく複数ある。イマイは60年代のサンダーバードだけで40点近く保有しておりその総数は大変なものだ。

※学研ホビーカルチャー事業部
1992（平成3）年当時、サンダーバードのステーショナリーグッズなどを中心に若者向けに展開した。そのようなヤング〜ヤングアダルト層に向けたサンダーバード商品はこの時が初めてであった。

の周囲に依頼が多数、来ていたためで、そのことから見ても25年ぶりのヒートアップとなることは、ほぼ確実であったからだ。

イマイがロンドンから依頼された品目を、依頼された数だけ生産しバルクで清水港から出荷すると、なんとその年の同港からの輸出品目の上位に数えられるほどの量となったそうである。英国に一年遅れて日本でも25周年を迎えた『サンダーバード』と、そのプラモデルは、こうして二度目のブレイクを果たすこととなる。

年頭には東北新社と、学研ホビーカルチャー事業部、バンダイビジュアルなどが音頭を取り、音楽、出版、ホビー関連の二十数社が一堂に会し、本年を『サンダーバード』の年とすることを表明した。渋谷PARCOにはサンダーバードプラモの即売ブースが設けられ、KDDIも『サンダーバード』をイメージキャラクターとしてCMにも採用し、4月2日からはテレビ東京にて再放送も決定した。一話分を前後編の30分枠としたため、全64回の放送となり9月までの放送で、これは『サンダーバード』のマーチャンダイズ・アイテムを取り扱う関連企業には非常に有難い援護射撃となったはずだ。

また1992（平成3）年時点ですでに22年の歴史を持つ※月刊ホビージャパン誌も、初めて『サンダーバード特集』を行った。『サンダーバード』関連の記事は掲載されたことはあったが、同誌の記事の中核である工作手引きとしての巻頭特集は初めてである。

※月間ホビージャパン誌

1969（昭和44）年ミニカー専門の月刊誌として創刊、その後模型雑誌へと転向し80年代にキャラクタープラモへと中心を移す。しかしサンダーバードの特集はこの1992年11月号が初めて。

▲1970～1980年後半まで再生イマイは『サンダーバード』に関しては60年代の再生産に終始した。この90年代初頭のチラシもCDボーイと1/350 サンダーバード2号以外は60年代キットの再販だ（1/144スーパーフォーミングは除く）。

1/350・サンダーバードプラモにスケール表記が付いた！

このブーム再燃の1992（平成3）年以降、イマイのサンダーバード商品については、我々も設計やデザインに協力させていただき、初めてサンダーバードプラモに1/350や1/144など、スケール表記が付くようにまで、その精度は上がって来た。スケール表記が付くということは、ただ全長のなん分の一、という意味ではない。形としては“ホンモノ”に忠実で、大きさだけを縮小しています、という意思表示なのだ。同じ意味で、『ガンプラ』が1/144とスケールを表示したことには大きな意味があるわけだ。

※『1/350サンダーバード2号スペシャル』は図面を描くなどした覚えがある。いくつかあるサンダーバード2号の撮影用モデルのどのタイプにするかという相談をした結果、そこまでの違いは1/350では再現が難しいので、良いとこ取りではないが、誰が見ても、サンダーバード2号だと、そういうイメージでという結論となった。完成全長は212㎜なので、かつてスタンダードと言われた初版時250円サンダーバード2号の完成全長270㎜よりも気持ち小さめということになる。

コンテナ着脱、コクピットは開口されているがクリアーパーツは付属していない。木型原型製作は東京のイワセ模型。ちなみにこの時の初版箱に使われている非常にリアルなスチール写真は、劇場版のサンダーバード2号である。

※『1/350サンダーバード2号スペシャル』
このスケールがどうして決定したのかは覚えていないが、恐らく最初の250円2号のボリュームを意識していたと思われる。形状を完全に再現するにはもう少し大きい方が適していた。

苦肉の策なのか、スーパーフォーミングとは？

再ブーム到来で意気の上がるイマイだが、90年代初頭に新しく作られたサンダーバード商品としては『1/350サンダーバード2号スペシャル』と、91年の完成全長528㎜という巨大なスーパー・ビッグ・モデル『1/144サンダーバード2号』、『ゼロエックス号』（いずれもスーパーフォーミング製）のみだった。

残念ながら当時のイマイは大型インジェクションキットの金型を製作する体力を持っていなかったのだ。このスーパー・ビッグ・モデルサンダーバード2号は、表面は通常のプラスチック樹脂のように見えるが、圧搾発泡スチロール樹脂製で、表面を滑らかにするためのサーフェイサーの塗布など手作業が必要なため、大量生産は出来ず、見本市においてのみ受注する、完全な受注生産に留った。

外観のフォルムは正確に再現されていたが、少量生産であるため、2万円を超える高額となってしまった。機体が中空ではなくムクで重たく、プラモデルのようには加工ができず、どちらかと言うとリアル仕上げよりは、むしろ※デスクトップ・モデルに近いかもしれない。見本市会場に展示されていたグロス仕上げの見事な作例は、サンダーバード・プラモ誕生時から開発担当者で、この時は社長となっていた勝澤利司によるものである。

同時期に完成全長633㎜価格25,000円のスーパーフォーミング・ゼロエックス号も発売された。

※デスクトップ・モデル
厳密な定義はないが、文字どおり机の上の展示品。スケールモデルのように現物の縮小と言うよりはそのもの自体が1/1の展示物。

● 1/350 TB-2 スペシャル

▶20年ぶりのサンダーバード2号新作は1/350との縮尺表記が付いたスケールモデルだ。パッケージには一番精緻に作られた劇場版の写真、そして往年のファンにアピールするため60年代の丸いイマイロゴが配されていた。シンプルなディスプレイキット。

▼▶コンテナは着脱可能。コンテナ底面のドラムタイヤも再現。なぜか鉄のつめタンク（EXCAVATOR）が1台だけ付属した。

● スーパーフォーミング・シリーズ

ゼロエックス号

▼1991年の全日本ホビーショーにて販売された1/600、完成全長633mの巨大なガレージキット。スーパーフォーミングは細かい成型は不得意なため主翼先端の折れ曲がりなどは再現できていない。

サンダーバード2号

▲1/144と巨大なサンダーバード2号はプラモデルではなく新素材スーパーフォーミング製。デスクトップモデルのように仕上げるのがベストか。

バンダイの新パッケージによるサンダーバード

1992 (平成3) 年に、久々にバンダイもサンダーバードプラモデルを再販した。この時点ではすでに組織改編により、バンダイ模型ではなくバンダイ ホビー事業部となっていた。発売されたのはサンダーバード1号からサンダーバード5号と、ジェットモグラの計6点だ。言わば『サンダーバード』の人気・売れ筋アイテムたちだ。

サンダーバード1号、サンダーバード2号、サンダーバード4号とジェットモグラは旧イマイの金型を使用し、ジェットモグラ以外は動力を排除して※時代に合わせてディスプレイ・モデルに改造したものだ。サンダーバード3号とサンダーバード5号は、70年代、バンダイ模型時代に制作した金型で、ジェットモグラだけは電池、モーター搭載のドリルが回って走行するアクションプラモとしてのオリジナルに近い復活だった。パッケージは開田裕治、石橋謙一、長谷川政幸によるリアルタッチで硬質感のあるものにバトンタッチしていた。

またパッケージデザインも時代を反映したスマートなものとなっており、バンダイもサンダーバード再起動か、とも思えたが、言うまでもなく、すでに当時からバンダ イホビー事業部の主たるコンテンツは『ガンプラ』となっていた。これ以降バンダイはサンダーバードプラモを生産していない。

※時代に合わせてディスプレイ・モデルに

リアルが理想とされた流れがあり、アクションのために形状などを崩してはよろしくないという風潮が流行した。

◀90年代のリアリズムに合わせて写実的な作風にスイッチした箱絵は長谷川政幸、石橋謙一、開田裕治らに託された。パッケージのバンダイロゴも刷新されている。シリーズ名は「サンダーバードメカコレクション」。

▼▶1992年のブーム再燃時に所有していた金型を時流に合わせてディスプレイタイプに改装して一気に再販したシリーズ。同じ作風に統一しているが、複数のイラストレーターに発注したのは恐らく一度に発売するため。ジェットモグラだけは動かないことには始まらないので、60年代と同じモーター搭載のアクションモデルとして再販。しかし色彩設計にも統一感があり同じシリーズだと判るが、当時再販されたのはこの6点のみだった。

00 01 02 03 04 05

◀ジェットモグラのアッセンブル。各キットにはキャラクターのブロマイドが封入。タグや押さえ紙などの無いシンプル極まる内容だった。

▶ジェットモグラ以外は動力を取り払いディスプレイタイプに改装しているがフォルムは60.70年代のままだった。ただサンダーバード3号にはスプリングのテンションで噴射行から炎が出るアクションはそのまま生かされていた。

▲パッケージサイドのデザイン。90年代らしいスタイリッシュなグラフィック処理。パッケージがそれぞれの機体色となっている。

▶70年代のバンダイキット。サンダーバード1号、サンダーバード2号、サンダーバード4号とジェットモグラはイマイから継承したキット。サンダーバード3号とサンダーバード5号は70年代にバンダイ模型が新規製作したもの。この92年再販はこれらの金型を改造したものだったが、それ以来現在まで再販は無い。こうして見るとパッケージの雰囲気が時代を象徴している。

イマイの最後のサンダーバードはジェットモグラタンク!!

1992（平成3）年のサンダーバード再燃の後にも、イマイは保有する金型を使用してサンダーバードプラモの生産を続けて来たが、2000（平成12）年に、新金型によるジェットモグラを設計する。設計を担当したのは、60年代サンダーバード・ブーム時に入社した荒田茂で、すでに専務取締役となっていた。監修はサンダーバード研究家の故・伊藤秀明だ。ジェットモグラの撮影用モデルは、もともと※市販玩具と市販プラモによって組み立てられているため、それらのパーツを全部収集しディテールを解析するなどして得た情報を基として、プラモデルとしては一番“ホンモノ”に近かった。そして60年代へのこだわりでモーター搭載のアクションプラモとして製作された。3,800円でモーター別。傑作プラモ『ジェットモグラタンク』の二代目と言える。

だが、2002（平成14）年、作るプラモデルではなく、食玩のように、精密でありながらも小さく安価なサンダーバード商品の模索を始めていた矢先、同様の商品がリリースされ人気を博したのを目の当たりにして、当時の会長は業務の継続を断念し、自主解散という形での終焉を迎えることとなった。それはプラモデルメーカーとして起業してから43年目の決断となった。

イマイの保有していた金型の大半は、静岡のプラモメーカー、アオシマ、そして木製模型は同じく静岡のウッディジョーに受け継がれた。

※市販玩具と市販プラモによって組み立てられている

ジェットモグラを始めとする大半の救助メカは、迅速に製作するため、玩具やプラモデルのパーツを集めて構成されていた。ブルドーザー玩具をシャシーに流用、ガントリーは鉄道模型用プラモから、その他写真のプラモを集めると撮影用モグラの8割が完成する。

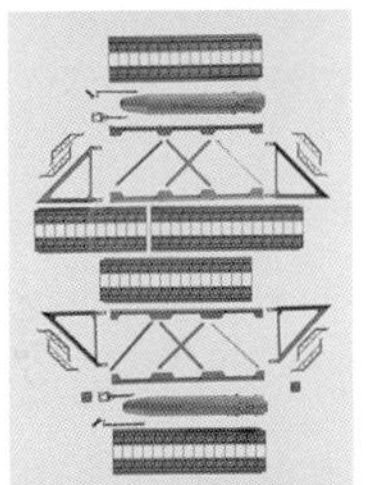

▲ジェットモグラに使用された当時のプラモデルたち。

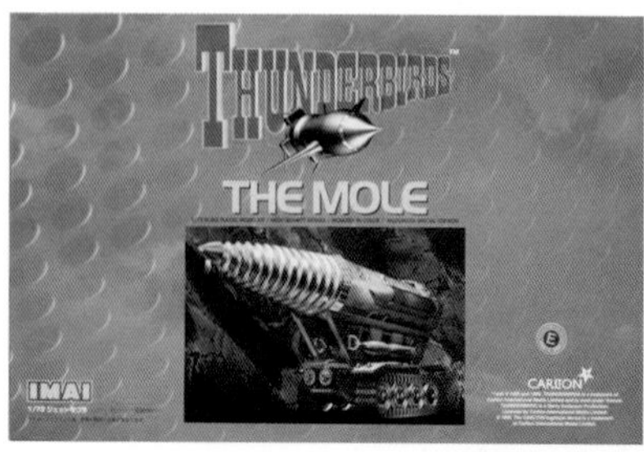

◀イマイ自主廃業直前の最後のサンダーバード新規プラモとなってしまった1/72ジェットモグラ。商品名は『THE MOLE』。イマイらしからぬブルーのパッケージは後述するとおり英国版権元カールトンの指定によるもので、同時期のサンダーバードホビーアイテムは食玩なども含めてすべてこのデザインに統一されていた。

▶イマイにとっては二代目となる電動アクション・ジェットモグラだが形状も極めて撮影用モデルに近く再現された決定版であった。モーターは2個搭載。

▼ジェットモグラ発売の2000年当時のイマイのチラシ。パッケージ、チラシなどに使用するビジュアルもCGとなっており時代の推移を感じる。アクションプラモを作って40年の集大成と言える。

▼左が撮影用モデル、右がイマイ最後のサンダーバードプラモとなった『ジェットモグラ』筆者作。ディオラマパウダーを撒いてスチールに似せて撮影したもの。撮影用モデルはパースを強調するため黄色いモグラを載せたガントリーを前方を上向きに設置していることが並べてみて判別した。形が異なって見えるとしたら被写体の大きさとレンズ特性のためだ。

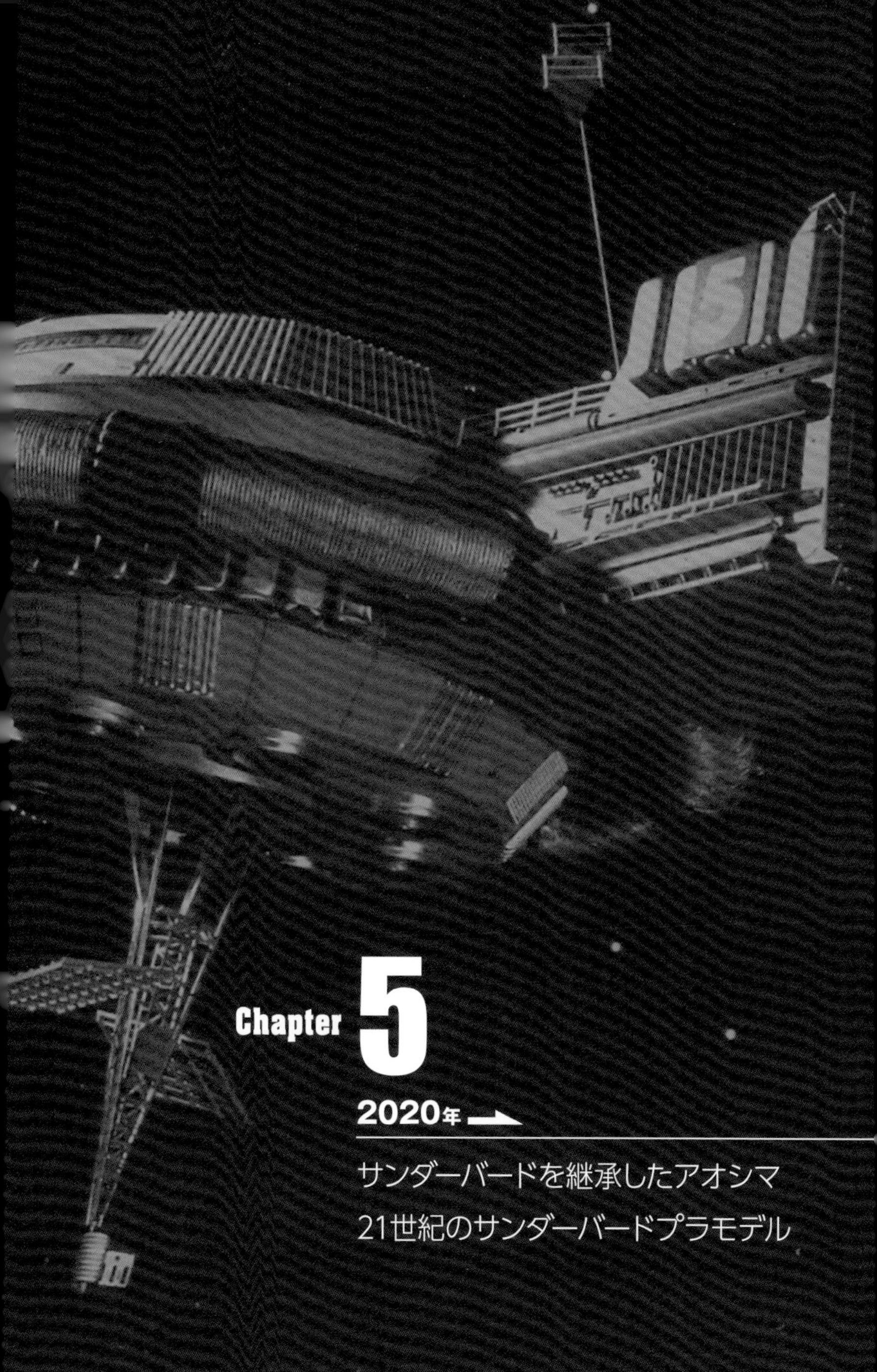

Chapter 5

2020年→

サンダーバードを継承したアオシマ
21世紀のサンダーバードプラモデル

青島文化教材社について

2021年のサンダーバードプラモと言えば・・・

現在市場にあるサンダーバードプラモはアオシマ、正式には青島文化教材社によるライセンス商品である。同社は非常に長い歴史を持ち、前身の青島飛行機研究所は、静岡市に戦前の1924（大正13）年に設立。1932（昭和7）年からは模型飛行機の製造・販売を始め、1945（昭和20）年には現在と同じ青島文化教材社に改名。1961（昭和36）年に有限会社となり、プラモデルの製造を開始。スケールモデルからオリジナルのSFメカ、そして『バック・トゥ・ザ・フューチャー』などの海外ライセンス商品まで、その守備範囲は驚くほど広い。

1975（昭和50）年、スーパーカーブーム時に発売したランボルギーニ カウンタックはミリオンセラーの大ヒットとなる。1980（昭和55）年の『伝説巨神イデオン』が注目を集めたが、実は同じサンライズ作品として『無敵超人ザンボット3』『無敵鋼人ダイターン3』なども手掛けていた。1989（平成元）年、株式会社化。

1/32で小惑星探査機「はやぶさ」を作るなどユニークな商品を作って来たが、これらの歴史に『サンダーバード』『キャプテンスカーレット』『謎の円盤UFO』などを含め、解散時にイマイが保有していた金型の大半を継承して新たな展開が期待される。

1966 ⟷ 2021

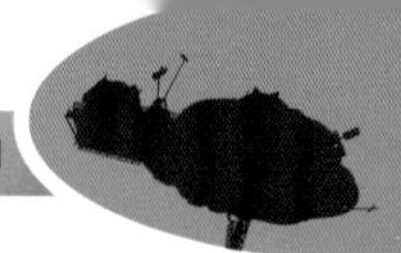

『青い箱時代』のサンダーバード・プラモ

アオシマは1968（昭和43）年の『サンダーバード秘密基地』なども引き継いでおりすでに幾度か再販もしている。その一定の期間に、英国のライセンス窓口がカールトン・インターナショナルとなった時期があった。カールトンはサンダーバード商品の世界展開を統括し、ブランドのイメージを規格化、玩具やホビー商品にはピンクの水玉模様を使用、という規範を作り、ロゴやテクスチャーを一括、日本にも送って来た。しかし東北新社の担当は、この指示に驚いた。英国ではブームが再来するたびに、ファン層が更新され総じて子供たちが中心となるため、関連商品は子供向けとして展開するのが常だが、しかし日本のファン層は1966年当時『サンダーバード』を見た、"元子供たち"だ。その特殊性を、いくら説明しても理解されなかった。大人を対象とした食玩やプラモの箱が、すべてピンクの水玉ではどうにもならない。困り果てた末、英国の担当者を呼んで、秋葉原の大型店の店頭に立ち、日本における実態を観察してもらった結果、ようやく日本市場の特殊性が理解され、プラモ、食玩などのホビーアイテムは、カールトン指定のブルーの水玉模様で統一されたのだった。従ってこの時期に発売されたプラモ、食玩は、皆、カールトン指定の青いパッケージとなっている。

◀サンダーバード1号、サンダーバード2号、サンダーバード5号は旧イマイとアオシマの新規によるものだが、パッケージはブルーに統一され、そしてボックスアートは作中のショットとスチールが使われていて従来とはイメージがまったく異なる。

◀『THE MOLE』はイマイ最後の傑作キットを受け継いだもの。エンディング使用のスチールだが厳密に言うとドリルの螺旋状の刃がまだ改造以前のタイプでキットとは異なる。

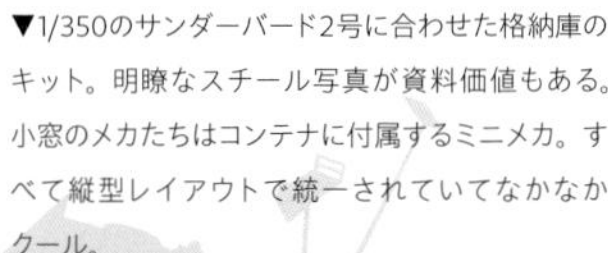

▼1/350のサンダーバード2号に合わせた格納庫のキット。明瞭なスチール写真が資料価値もある。小窓のメカたちはコンテナに付属するミニメカ。すべて縦型レイアウトで統一されていてなかなかクール。

▲商品名が『TRACY ISLAND』なので分かりにくいが、これはイマイから引き継いだサンダーバード秘密基地である。「THUNDERBIRDS」に重なっているサンダーバード1号も、ライセンサーのロゴの一部であった。

2021年、2022年青島文化教材社のサンダーバード・ラインナップ。

●青島 1/144『サンダーバード1号』3,300円（税込）

▼航空機プラモの世界標準1/144の縮尺が表示された最初のサンダーバード1号。パッケージは60年代初版を使用。サンダーバード・クラシック・シリーズとして2021年に再リリースされた。

▲▶アオシマが2000年代に新規製作したキット。機体全体に凹モールドによるパネルラインが再現された完全ディスプレイ・タイプの決定版。

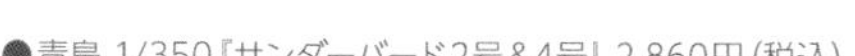

●青島 1/350『サンダーバード2号&4号』2,860円（税込）

▼▶イマイが92年に新規製作したサンダーバードプラモ初のスケールモデルのサンダーバード2号に、サンダーバード4号とその専用4番コンテナをセットしたもの。サンダーバード4号の発進レールも再現。

●青島 1/350『サンダーバード3号』4,180円（税込）

アオシマが2017年に新規製作したサンダーバード3号初のリアルスケールモデル。機体表面の凹凸ディテール、パイピングなども再現。展示用スタンド付き。ボックスアートは60年代初版絵を使用。

●青島 1/48『サンダーバード4号』5,280円(税込)

◀サンダーバード研究家、故・伊藤秀明による最後の監修となったアイテム。作中の有機的なフォルムを再現し、同時に60年代的なモーター走行とディスプレイ・タイプとが選択可能。コクピットもマリオネットサイズのセットを参考に再現。船首からのミサイル発射。

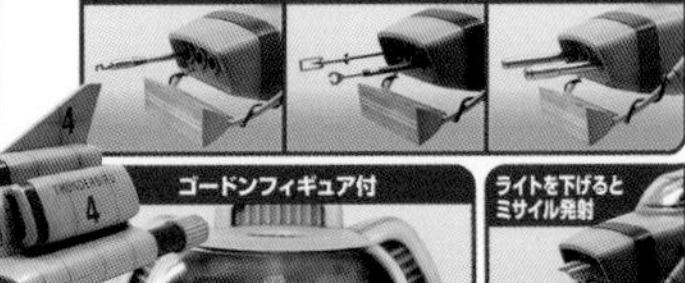

▶左舷搭乗エアロックも再現。照明灯の支持棒に見える黒いコードは作中であと付けされた通電リード線を再現。

●青島『サンダーバード5号&3号』6,380円(税込)

▲60年代初版の『サンダーバード5号ドッキングセット3号入』を継承したキット。複雑だった内部メカを新機構に改修。船体の自転、上下アンテナの回転と点灯ギミックを再現。サンダーバード3号はドッキング可能。

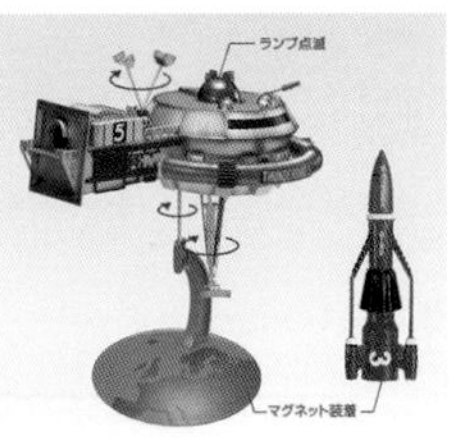

●青島 1/72『ジェットモグラ』3,850円(税込)

▲イマイによる2000年製のキットで、ジェットモグラの初めてのスケールモデル。今回は60年代初版『ジェットモグラタンク』の小松崎ボックスアートで復活。モグラ後部の廃熱プレートは4種付属。クローラーも作中のモデルを完全再現しているディスプレイタイプ。

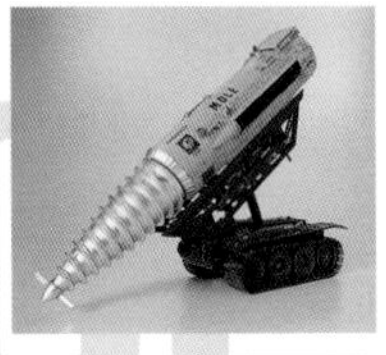

◀作中同様にガントリーが地中進行モードに傾斜する。

●青島 1/32『ペネロープ号』2,750円(税込)

◀1967年初版を意識して、ボックスアートは当時のものを使用。商品名も『ペネロープ号』。今回はモーター動力無しのディスプレイタイプとしてリリース。フロントグリルにはマシンガンの銃口あり。

●青島 1/350『サンダーバード1号＆発射基地』4,400円(税込)

◀1/350のサンダーバード2号と同スケールのサンダーバード1号と発射サイロを再現。1号は翼の開閉再現。水平移動用のパレットも付属。

●青島 1/350『サンダーバード2号＆コンテナドッグ』4,400円(税込)

◀▲サンダーバード2号とコンテナ×3個、13種のレスキュービークル、そして2号格納庫のディオラマベース付き。スクランブル情景の再現だ。

●青島 1/350『サンダーバード2号＆救助メカ』3,300円(税込)

◀サンダーバード2号に8種類(11両)のレイキューメカが付属。サンダーバード2号は内部構造を再現、機体パーツはクリアー成型で、スケルトン状態。付属メカは高速エレベーターカー4台、鉄の爪タンク、磁力牽引車、ジェットモグラ、ジェットブルドーザー、電波放射機、吸着ハンド車、化学消防車、いずれもリアルタイプ。クリアー成型のコンテナもふたつ付属する。

▶スケルトン状態で機内メカが見えるサンダーバード2号。ボックスアートはかつてイージーキット用に描かれたものを初採用した!

●青島 1/350『ファイアーフラッシュ号』4,400円（税込）

▲2005年に初のスケールキットとして発売された夢の超音速旅客機を再リリース。主翼及び尾翼部分キャノピーはクリアーパーツで再現。主翼先端の着陸ギアも再現。同スケールの『高速エレベーターカー』が4両付属。展示用スタンド、滑走路をイメージしたシート付。箱絵は小松崎茂画伯。

2022年リリースのサンダーバードプラモ

●青島 1/72『磁力牽引車 電動モデル』6,380円（税込）

▲青島がスケールモデルとして新規開発したキット。1/72スケールで有線リモコン操作により前進・後進、磁力ケーブルの発射・巻取りを再現したアクションプラモでもある。

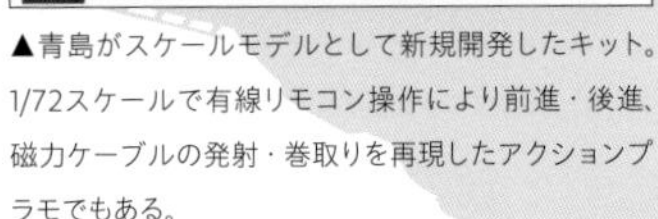

●青島 1/350『サンダーバード3号＆発射基地』6,380円（税込）

▶サンダーバード3号と、その発射施設を忠実に再現したディオラマ。作中でサンダーバード3号の救助作戦に協力する電波放射機も同スケールで付属する。

2020年に展開されたミニシリーズ

●青島『サンダーバードミニ 1号』1,320円(税込)

◀いずれもイマイCDボーイを引き継いだデフォルメ仕様。機首が取れてパイロットのスコットが見える。主翼可動、着陸脚は金属製。

●青島『サンダーバードミニ 2号』1,320円(税込)

▲▶コンテナ着脱、コクピットも再現。ミニサンダーバード4号とミニジェットモグラが付属。着陸脚も着脱する。

●青島『サンダーバードミニ 4号』1,320円(税込)

▲▶キャノピーはクリアーパーツでコクピットも再現、コロ走行タイヤ装備。前部照明灯は可動。

●青島『サンダーバードミニ 3号&5号』1,320円(税込)

▲サンダーバード5号とサンダーバード3号のセット。クリアウィンドウ付きで上部が取り外せて、ジョンが搭乗。ディスプレイスタンド付属。

●青島『サンダーバードミニ ジェットモグラ』1,320円(税込)

▲ジェットモグラと車体が分離し地中進行モードにガントリーが傾斜。先端ドリルはメッキ処理され手動回転する。

●青島『サンダーバードミニ ペネロープ号』1,320円(税込)

▲▼バブルキャノピー、車内シート再現でパーカーとレディ・ペネロープが搭乗。6輪コロ走行。エンジングリル、バンパーなどがメッキシルバー。

2021年、2022年のアオシマのラインナップはこれだ!!

縮尺が表示された、
スケールモデルとしてのサンダーバード1号、発進!

青島 サンダーバード・シリーズ No.1
1/144『サンダーバード1号』3,300円(税込)

イマイ時代のスタンダードは初版のモーター搭載(後にゼンマイへ変更)のサンダーバード1号で、後にディスプレイ・モデルにも改装されたが、形状自体は、やはり60年代のそれであった。つまり本キットがサンダーバード1号、初のスケール表示、ディスプレイ・モデルであり、形状も作中のそれを完全再現。1/144は航空機プラモの世界標準。可変後退翼の開閉は手動で左右連動。ランディングギアは初期タイプのタイヤ仕様と、スキッド(ソリ)タイプのふたつを選択式だ。

作中では初期撮影時において、ロンドン空港などへの着陸が主であったため、タイヤを装着していたが、その後、物語の設定として砂漠などの不整地への着陸が多いため、ランディング・スキッド(ソリ)タイプへ変更となった。また機首にはテレビシリーズ版の機首機関砲も再現(劇場版機関砲は旋回式で種類が異なる)。

パッケージは60年代初版(モーター搭載250円版)の海上ステーションのボックスアートを使用しているが、キット自体はアオシマが、2000(平成12)年に新規製作したキットで、スケール表示がついたディスプレイ・タイプのプラモデルはサンダーバード1号としては初めて。機体全体に凹モールドによるパネルラインが再現されている。モールドカラーはシルバーグレイ。

サンダーバード2号にサンダーバード4号が付属!

青島 サンダーバード・シリーズ No.2
1/350『サンダーバード2号&4号』2,860円(税込)

この1/350サンダーバード2号は、再生イマイが1992(平成4)年に新

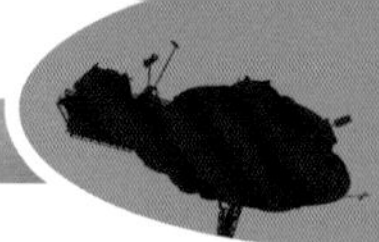

規製作したサンダーバードプラモ初のスケールモデルだ。

形はかなり正確で、今回はそれにサンダーバード4号専用の4番コンテナと同スケールのサンダーバード4号を付属させたもの。4番コンテナ専用カタパルトも再現されている。サンダーバード2号の着陸脚は取り外し式である。

半世紀経ってようやくリアルなサンダーバード3号が発売！

青島 サンダーバード・シリーズ No.3
1/350『サンダーバード3号』4.180円（税込）

アオシマが2015（平成27）年に新規金型を起こしたサンダーバード3号初のリアルスケールモデルがこのキットだ。単純に見えるサンダーバード3号のシルエットながら、機体中央部から機首先端に向けてのラインはなかなか難しいのだが、このキットは良く再現している。

また前記もしたが、サンダーバード3号の撮影用最大モデルは、巨大さを表現するため、機体表面に凹凸ディテールやパイピング、細かい塗り分けなどが施されており、従来のプラモデルでは再現が難しかったが、このキットは果敢に再現。ディスプレイ・モデルなので展示用スタンド付き。こだわりは作中の3種類あるドッキングリングが選択式で選べるところ。作中のモデルはサイズによってディテールが異なっていたためである。

成型色は機体のオレンジ、ブルー、ホワイトとスタンドのグレーだ。ボックスアートは60年代に旧イマイから発売された50円版の小松崎画伯絵を使用。そのため60年代感を失っていない。

長い間ゼンマイの改修タイプしかなかったサンダーバード4号遂に新規に・・・

青島 サンダーバード・シリーズ No.4
1/48『サンダーバード4号』5.280円（税込）

旧イマイの60年代初版ゼンマイ200円のサンダーバード4号発売以来、

角ばったフォルムが定着してしまい、その後発売されたプラモ、玩具もそれを踏襲してしまっていた。しかしこの2016（平成28）年初版の、サンダーバード4号はサンダーバード研究家、故・伊藤秀明による最後の監修となったアイテムだ。プロポーションを作中の有機的な丸みを帯びたものとしたのと同時に、60年代的なモータードライブにもこだわり、ディスプレイタイプと走行タイプの選択式となっている（前述したがこの機体は地上も走れるので）。

船首照明器には点灯ギミック付きで、船首からのミサイル発射も再現。同じく船首には救助用ツールが付属する。

また作中のパペットサイズのコクピットには、左舷に搭乗ハッチがあるのだが、このキットではそれも再現している。船首照明器を支えているアームに巻き付いている黒いコードは、撮影用ミニチュアに後付けで付けられた照明用の通電用リード線で、それも再現している。コクピットのディテールとパイロットも再現した今までで一番正確な4号となっている。パッケージは60年代初版時のものを使用。

イマイのキットを踏襲した
ドッキング・セットの再来だっ!!

青島 サンダーバード・シリーズ No.5
『サンダーバード5号&3号』6,380円（税込）

60年代初版の『サンダーバード5号ドッキングセット 3号入』を継承したキット。ただ当時非常に複雑だった内蔵メカを、洗練された新機構に改修。船体の自転、上下アンテナの回転と点灯ギミックを再現。サンダーバード3号が付属しドッキングが可能。成型色はオフホワイト、マホガニー、クリアーブルー、スタンドのグレーとサンダーバード3号のオレンジとレッドで、サンダーバード3号がマグネットでスタンドに吸着するギミックも再現している。

モーターライズ、アクションモデルで復活だ!!!

青島 サンダーバード・シリーズ No.6
1/72『ジェットモグラ』3,850円（税込）

再生イマイ、再後期の2000（平成12）年製作の新規キット。そして1966（昭和41）年に最初のサンダーバード2号250円を発売して来たイマイとしての最後のサンダーバードプラモだ。ジェットモグラの初めてのスケールモデル。

現在はこのようにアオシマが受け継いで、すでに何回か発売してきたが、今回は60年代初版『ジェットモグラタンク』時の小松崎画伯ボックスアートで復活。2000（平成12）年初版時はモーターライズ版だったが今回はディスプレイ。設計段階での基本図面は伊藤秀明による。ジェットモグラ本体は、撮影ごとにすこしづつディテールが異なるのだが、本キットはその4パターンを選択可能。クローラーのピースを一枚づつ取り付けていくことでオリジナルのイメージに近づけている。成型色はジェットモグラ本体がイエロー、ドリルがメッキシルバー、車体がブルーグレイ、転輪がブラック。

前記のようにボックスアートは初版時のものを使用している。そのため旧イマイのプラモデルを参考としており、ジェットモグラ本体にもタイヤが付いている。

イマイのキットを踏襲したディスプレイタイプ

青島 サンダーバード・シリーズ No.7
『ペネロープ号』2,750円（税込）

イマイの1967（昭和42）年の初版を意識して、ボックスアートはもちろん当時のものを使用。商品名も『ペネロープ号』として発売。キットもイマイのものを踏襲し、スケール表示は1/32と国際スケールだ。オリジナルキット同様に前4輪がステアリング。今回はモーター動力無しのディスプレイタイプ。パッケージ同様にフロントグリルからはマシンガンの銃口が見える。

ボディカラーはピンクで、フロントグリルやホイールはメッキパーツとなっている。

夢の超音速旅客機をプラモ化!!

青島 サンダーバード・シリーズ No.8
1/350『ファイアーフラッシュ号』4,400円（税込）

サンダーバードの未来世界を象徴する超音速原子力旅客機である。第一話で「ロンドン、東京間を2時間半で結ぶ夢の航空機」として登場するが、それはジェリー・アンダーソンが定義する進んだ未来の科学技術のあるべき姿だった。

このキットはスケールモデル並みの再現度で作中の機体を再現。主翼及び尾翼部分のクリアー部分も透明パーツ使用。主翼先端が直角に折れて着陸ギアとなる設定も選択式で再現できるディスプレイタイプだ。さらに第一話でファイアーフラッシュ号を救った国際救助隊のレスキュービークルの代表格、『高速エレベーターカー』が同スケールにて、設定どおり4両付属する。展示用スタンドと、滑走路をイメージしたシート付。そして箱絵は小松崎画伯が『徳間書店テレビランド増刊グラフ4・1980年5月発売』用に描き下ろしたものを使用。まるで60年代からタイムスリップして来たようなイメージのアイテムとなっている。サンダーバードプラモデルにおいて、今のところ要救助メカが単独で商品化されたのはこのキットだけである。

サンダーバード1号の発射基地を再現したキット。

青島 サンダーバード・シリーズ No.9
1/350『1号＆発射基地』4,400円（税込）

1/350サンダーバード1号と同スケールの発射基地が付属している。翼の開閉を再現しているほか、垂直離陸する際の移動式パレットも付いている。壁面はプラパーツなので、作中のイメージに近づけるためにはペインティングに挑戦だ。初販は2003（平成15年）。

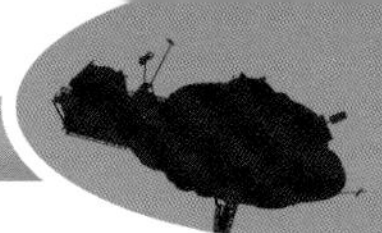

コンテナ3つと救助メカ13台!!
そしてサンダーバード2号の格納庫付き!!

青島 サンダーバード・シリーズ No.10
1/350『2号&コンテナドッグ』4,400円(税込)

イマイの『レスキューセット』の再来か?! 1/350で統一されたサンダーバード2号と3つのコンテナ、13種の救助メカ、そして格納庫のディオラマベース付きキットだ。これで作中のサンダーバード2号スクランブルの情景が机の上に再現できる。付属している13種類のミニメカの内、9台が60年代旧イマイのもの。ディオラマサイズは220×300×160㎜で向かって左の格納庫内管制室も再現されている。

1/350サンダーバード2号に
8種類の救助メカを付属したセット

青島 サンダーバード・シリーズ No.11
1/350『サンダーバード2号&救助メカ』3,300円(税込)

サンダーバード2号は内部構造のパーツも加え、機体パーツはクリアー成型で、無塗装のままならスケルトン状態で完成する。付属メカは高速エレベーターカー4台、鉄の爪タンク、磁力牽引車、ジェットモグラ、ジェットブルドーザー、電波放射機、吸着ハンド車、化学消防車。パッケージはかつてイージーキット用に描かれた未使用原画を初使用。というレアな一品だ。

2020年に展開されたサンダーバードミニシリーズ

2020(令和2)年に、イマイ時代の『CDボーイシリーズ』も、ミニシリーズとして復活していた。これらのアイテムもイマイ解散後にアオシマに受け継がれおり、90年代初版当時とほぼ同じ仕様で発売された。ただしこのシリーズには音楽のギミックは無い。

パッケージは完成写真を中心に、作中のスチール写真をちりばめた楽しいもの。

それにしても幻の『ゼロエックス号』はどこに??

話をここまで続けてきて、『火星探検機ゼロエックス号』がそんなに人気があったのになぜ再販されないのかと、思われたかもしれない。人気アイテムは一部バンダイに渡り、それ以外は再生イマイに残されたはずだ。

これは長い間…おおよそ40年間ほど謎のままであった。我々の間でもそれは解明されない謎のままで、ひところ「ゼロエックス号の金型はブラジルに送られてそこで溶かされてしまった」という話が都市伝説のように流布されており、しかもいい加減な噂ではなく、源流をたどると、当時のイマイの開発担当者、および東北新社、さらにはバンダイのスタッフ等から発せられていることがわかった。であるならそうなのだろうと思ってしまうところだが、丹念にひとつひとつの金型の所在を追跡すると、そんな酷い目に会っているのは、なぜか一番人気の『ゼロエックス号』だけであることが判った。ゼロエックス号は金型が7つある大型キットだ。手違いや何かによって紛失するはずがない。

しかし2006 (平成17) 年にバンダイホビーセンターが完成した折、筆者はバンダイが保有している金型のリストを見る機会に恵まれた。ページを捲ると、とてつもなく懐かしいキットがそこには並んでいた。古いものでは60年代初頭のコグレのキットたちの名前が…。そしてそれぞれの金型のコンディションを印す○△×の記

号が認められた。○はコンディション良好、△は補修作業必要、×は再使用不能といった区分である。しかし何度か見直すうちに○×と書かれた正体不明の金型に行き当たった。コンディションが良かったのに、オシャカになってしまったものか、とも思えたがそうではない。そしてそのキットの金型は7つと表記がある。ゼロエックス号のランナーも7枚だった。

そう、それは○×ではなく、「ゼロエックス」との表記を、何度かリストを書き直すうちに、あるいはPCにテキストとして入力した際に「○×」と記入されてしまったのだ！ 幻キットの金型は40年近くもバンダイの倉庫にひっそりと眠り続けていたのである。

絶版ゼロエックス号はマニアおよびコレクター、垂涎の幻キットである。もちろんたくさんは売れないが、何に代えても欲しいと言うファンはいる。そこで関係各位に多大な迷惑を掛けつつ、なんとか再販の道を探った。段ボールの質の再現からライセンサーの理解、金型の保守点検などなどから始まり、美品を所有していると聞けば、地方まで赴いて当時の正しいアッセンブルを参考にするなど悪戦苦闘の末、ついに限定生産が実現した。定価はどうしても5桁に届いてしまったが、そんなに欲しいユーザーはたくさんはいないだろうとの予測に反して限定生産数は完売した。規模もなにもかも当時の万分の一だが、ゼロエックス二回目のブレイクだった。

00
01
02
03
04
05

復刻版ゼロエックス号

パッケージ周りは可能な限り当時に近く再現した復刻版。どうしても価格は上がってしまったが予定数は完売した。

プラモデルではなく、すでに完成しているホビー商品を・・・

2001（平成13）年、恵比寿の東京都写真美術館においては、東京都写真美術館、東京都、そして東北新社やカールトン、イマイなどが協力して『サンダーバード　ジェリー・アンダーソンの世界』が行われた。めったに東京に来られないイマイの社長が来られると言うので足を運んだのだが、当時の社長は、本書にたびたび登場するサンダーバードの開発部長であった御仁で、サンダーバード歴35年、イマイ一筋、サンダーバード一筋の根っからのプラモ屋だ。いつもは豪胆で強気で知られるその方が「これからは作るプラモデルばかりではなく、オマケのように小さいが誰でも買えて遊べる、そういうものが必要だ」と語られ、続けてそのような製作現場と販路など試行していたらすでに先を越されてしまった。と呟かれた。それはすでに市場に出回っていたサンダーバードの食玩のことを指していた。

その直後、イマイの自主解散を知った。実にいさぎのいい引き際だった。

本書に出て来る逸話やエピソードは、2006（平成18）年〜2007（平成19）年当時、やはりサンダーバードのプラモ関連の書籍を執筆する際に、静岡にあった当時のイマイの会長宅や外注関係者、バンダイの役員OBのご自宅にまで押しかけて聞かせていただいた貴重なインタビューを

1966 2021

基にしてある。

結果としてそれらを生み出してきたメーカーの栄枯盛衰はあるものの、『サンダーバード』はコンテンツとして、現行商品として生き続け、今年も来年も関連商品が市場に出回るだろう。

「オマエのような好きなやつが企画を立てているからだろう」

と言うのもそのとおりだが、ユーザーがいなくては、どれもこれも成り立たないわけであるから、けっして筆者の独りよがりというわけではない。

こうして…今井科学は幻のメーカーとなってしまった。1966（昭和42）年末から1969（昭和44）年に掛けての、実質2年半ほどの短い間の狂乱的ブームであったが、同時代を過ごした者にとっての興奮は、やはり市場に出回っていたサンダーバード・プラモの商品力によるところが大きい。

それらプラモデルが持つ興奮や楽しさは、コンテンツ自体の興奮を、魅力を再現していたからであり、しかし同時に商品自体にも感動があったのも事実である。

50年も以前の、イマイ時代の朽ち果てそうなサンダーバード初版プラモの箱が、箱だけで高額で取引されているネットオークションの実態を見る機会があった。

魔法から、夢から覚めないファンたちは、まだ何かを望んでいる。

リアルタイム進行中のデアゴスティーニのサンダーバード

2016（平成28）年からデアゴスティーニ・ジャパンでは週刊『サンダーバード2号＆救助メカ』、さらにその後、週刊『サンダーバード秘密基地』を展開しているが、筆者が双方ともプロデュースをさせて頂いている。アンサーソングというのがあるが、要するにこれは50年間サンダーバードプラモを作って来た筆者の、かつて60年代のサンダーバードプラモに対するアンサー・プラモなのだ。

週刊 電動模型キットマガジンシリーズ『サンダーバード2号＆救助メカ』

このサンダーバード2号はジャッキ脚が伸縮する。実のところ撮影に使われている撮影用モデルは、ジャッキ脚が伸縮しないのだ。脚伸縮シーンの2号の4脚は、始めから伸びたシャフトで支えられており、それを機体とともにスタジオセットの下から押し上げている。しかしこのホビーではその伸縮の再現に挑戦。当時のスタッフが注力したシーンを、電動、リモコンで果たしている。

また救助メカはサンダーバード4号はもちろん、作品に登場するものを網羅し、さらに爆破トラクターのような“救助される側”のビークルも付属する。また好評により95巻まで延長されため、いままで再現されたことのなかった空中救助装備を追加。本当の意味でのコンテナポッドのフル装備となっている。

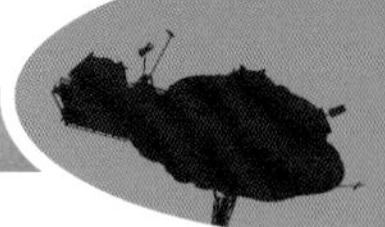

●デアゴスティーニ・ジャパン
週刊 電動模型キットマガジンシリーズ
『サンダーバード2号＆救助メカ』

▶サンダーバード2号のジャッキ脚伸縮だけではなく、作中に登場するすべての救助メカ、そして空中救助用の特殊コンテナまでも立体化したほぼコンプリートな内容が売り。クローラー車体は転輪とクローラーも再現している。好評につき増刊した。

▲救助メカはサンダーバード4号はもちろん、作品に登場するものを網羅し、さらに爆破トラクターのような“救助される側”のビークルも付属する。

▼ブックレットにはサンダーバード2号初期デザインなども解説。撮影用モデルのパーツにも言及している。

週刊『サンダーバード秘密基地』

サンダーバード2号に続くデアゴスティーニの『週刊サンダーバード秘密基地』は、この原稿を書いている時点でもまだ発売が完結していない全部で110巻のアイテムだ。実現するために200枚近い図面を描いたが、商品化されたので徒労には終わらなかった。最初に発泡スチロールによるダミーを作ってから1年ほどの図面作成期間を経てようやく商品化にたどり着いた。

特徴は、と言うと…実際のセットでは、サンダーバード1号は発射ランチへと傾斜を下ってきたあと、水平移動して静止、それから点火して発進するのだが、しかしそれはカットでは繋がっているが、撮影現場では、すべて別撮りだ。1カット1アクションを徹底していため、厳しいテレビの撮影スケジュールをこなせていたのだ。カットの繋ぎ目にはパペットたちが、コクピットでスイッチやレバー操作のカットが巧妙に挿入され、不連続の違和感を払拭していた。

しかし今回の週刊『サンダーバード秘密基地』では、それらの挙動を連続して再現している。そこが最大のアピールポイントであり、最大の苦労だった。アクション、ギミックを内蔵するためどうしても巨大化し、横幅703㎜となったが、これは当時の年少者がかつてのイマイのサンダーバード秘密基地に対して覚えた、圧倒的巨大感の再来と思っていただきたい。

1966 2021

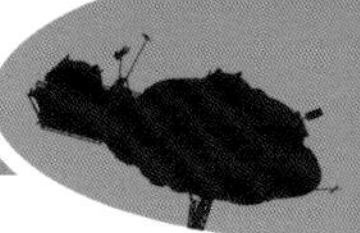

●デアゴスティーニ・ジャパン
週刊『サンダーバード秘密基地』

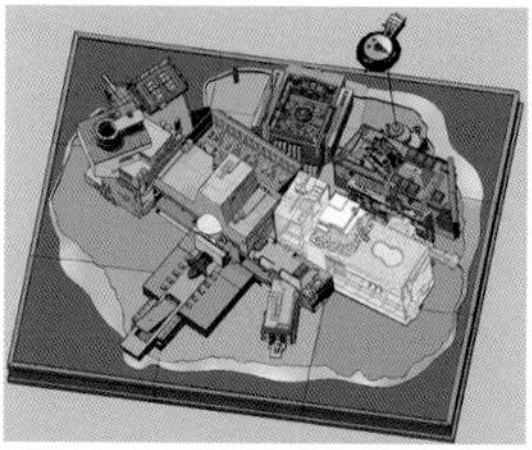

▲外装の岩山の中には救助メカの格納庫はもちろん、各種施設が再現されており、設定されている原子炉やその他の設定を具体化、再現している。

▲ほぼすべての格納施設を再現したためかなり巨大なディオラマとなった。1度しか登場しない衛星通信用の"アンテナ島"も再現。

▼サンダーバード2号格納庫は天井の照明からシューターの伸縮、ヤシの木の転倒、カタパルトまでの移動も再現。各救助メカの格納庫も再現している。

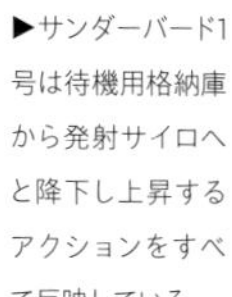

▶サンダーバード1号は待機用格納庫から発射サイロへと降下し上昇するアクションをすべて反映している。

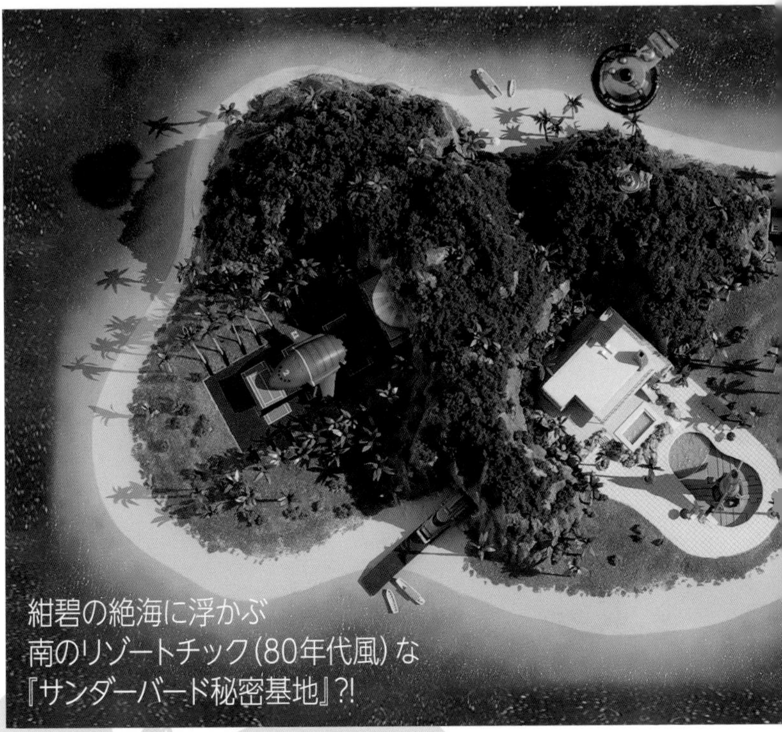

紺碧の絶海に浮かぶ
南のリゾートチック（80年代風）な
『サンダーバード秘密基地』?!

プラモデルの可能性は製作者の意思で決まる。
サンダーバード秘密基地を、
大西洋に浮かぶトロピカル・アイランドとして再現する。

イマイ『サンダーバード秘密基地』使用

製作／**山口洋平**

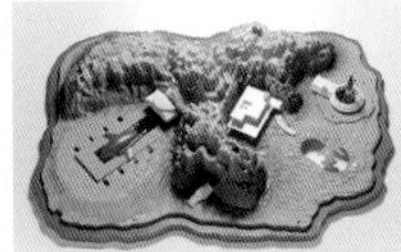

◀再生イマイ・1984年モーター動力再販を使用。当時4,800円。一度他のキットに流用されたためサンダーバード1号プール周囲のタイルなどがない。アイボリーの成型色にグリーンの塗装が特徴。（2013年サンダーバード博展示作品）

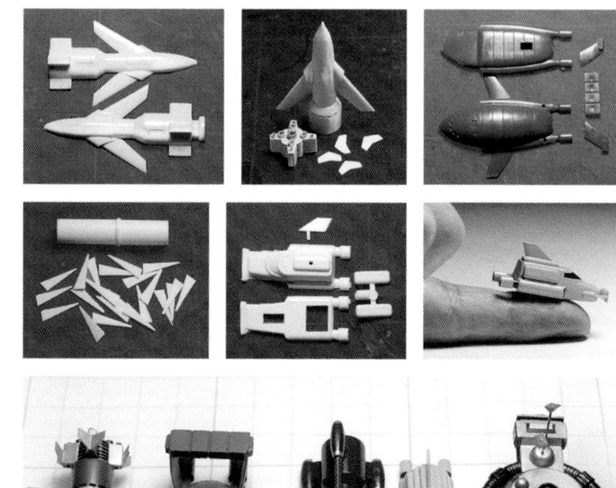

▲付属しているサンダーバード1号からサンダーバード5号を一度ばらばらに分解し、可能な限りディテールアップしていく。1号はもともとパーツ数2点なりの再現度なので、分解後に全体を成型し直し、尾翼の自作、噴射口の追加などを行った。サンダーバード3号も放熱フィンを自作。塗装の後、すすけ汚しを行った。非常に小さいが完成後に目を引くので細かく仕上げる。

80年代バブルの時代、南国への憧れを喚起したイラストレーター永井博のトロピカルなイラストは、そのひとつの象徴だった。当時、男性化粧品のキャンペーンにされた永井博によるノベリティ・トレーに描かれていたトロピカルな島が、トレーシー島同等のサイズであったので、そのイメージに向けて工作。キットの分厚い土台部分を喫水線として周囲を2㎜プラ板でB3サイズに拡張し、白い浜辺と海とを表現した。

ディスプレイタイプを目指したがヤシ並木の転倒、サンダーバード2号カタパルトの傾斜などの基本アクションはそのままに、さらに夜景に対応したLEDを各所に配置している。ベースとしたキットのポテンシャルにはないトロピカル要素を付加した作例だ。

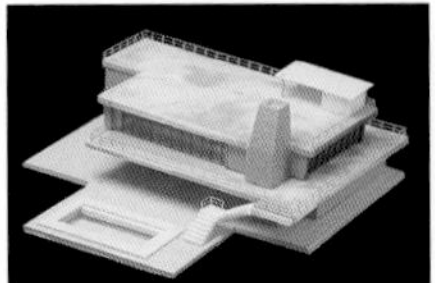
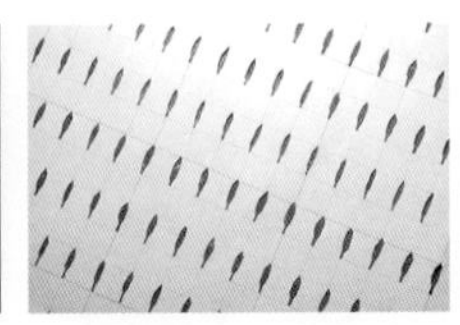

▲▶トレーシー邸はほぼ自作、エッチングパーツによる手すり、室内の家具調度品も作った。針金に手芸用テープを巻き付け、一枚づつ切り抜いた葉を付けて80本のヤシの木を自作。鉄道模型用スポンジのテクスチャーをふりかけた。

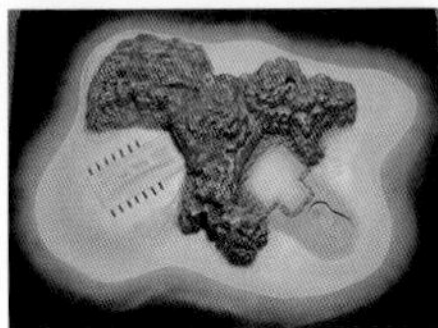

▲夜のライトアップ！白色LEDを仕込んだ邸宅とプール。

▼波はメディウムを塗った後にアルミホイルを押し付けて再現している。

▲すべてのメカを格納すれば南海のリゾートだ。

発射施設ラウンドハウスを自作した“リフトオフ”シーンの再現！

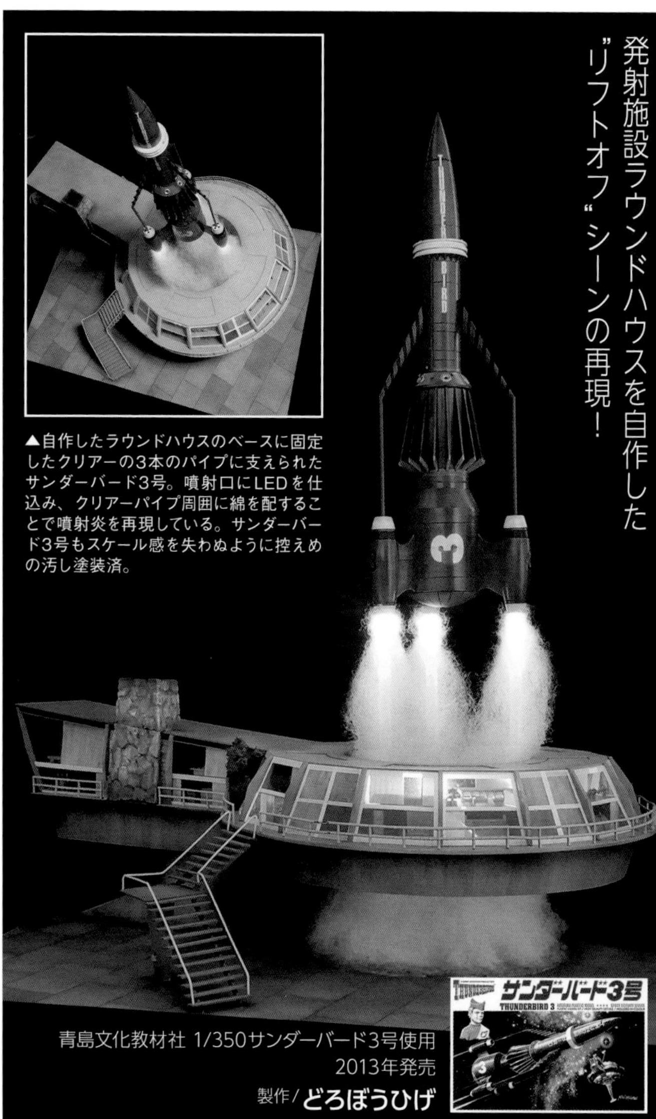

▲自作したラウンドハウスのベースに固定したクリアーの3本のパイプに支えられたサンダーバード3号。噴射口にLEDを仕込み、クリアーパイプ周囲に綿を配することで噴射炎を再現している。サンダーバード3号もスケール感を失わぬように控えめの汚し塗装済。

青島文化教材社 1/350サンダーバード3号使用
2013年発売
製作/どろぼうひげ

サンダーバード劇場版　作品解説 1

サンダーバード待望の映画化！
巨大宇宙船ゼロエックス号の運命は！

劇場版『サンダーバード』
（Thunderbirds Are Go）
1966年 英国映画 94分

●監督／デイヴィッド・レイン●脚本／ジェリー・アンダーソン、シルヴィア・アンダーソン●音楽／バリー・グレイ

■解説■

1966（昭和41）年のTVシリーズと同じ時代、同じ登場人物たちによる映画版。火星探査機ゼロエックス号が火星で怪物に出会い冒険の末、地球に帰還するも事故が発生。街への墜落の危機に国際救助隊が出動する。同時に末っ子アランの成長も描く。骨子としてはジェリー・アンダーソンが書いたTVシリーズ第一話に近い。当然予算もテレビ版以上なので、特撮ステージも広くワイドになっており、デレク・メディングス特撮監督の演出も冴えているが、テレビシリーズを見慣れた視聴者には新鮮味は無かったかもしれない。ただマシーンのギミックなどはかなり強調されており、冒頭のゼロエックス号組み立てシーンは当時の映像評論家も絶賛していた。なかでも管制塔の一部だと思った構造物が実はゼロエックスの探検車であったり、メカニック的アイデアや造形物はＴＶシリーズ以上に注力されていることがシーンの数々から見て取れ、これによって日本におけるプラモデル熱にさらなる拍車がかかったとも言える。エンディングの軍楽隊によるサンダーバードマーチは必見。このゼロエックス号探検車は次回作『キャプテンスカーレット』第一話にも登場する。

▶劇場版パンフレットより。制作は東北新社。ゼロエックス号の機能の紹介だ。

▶劇場版パンフレットの見開き。こうして並べられて初めて、劇場版1作目のゼロエックス、劇場版2作目のサンダーバード6号を繋げると0、1、2、3、4、5、6、と並ぶのが分かる。

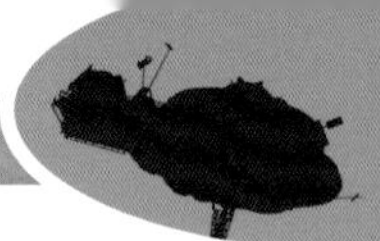

サンダーバード劇場版　作品解説 2

劇場版第二作は、事実上の最終回?!
ついにサンダーバード6号の登場だっ!

劇場版『サンダーバード6号（Thunderbird 6）』
1968年 英国映画 90分

●監督／デヴィッド・レイン●脚本／ジェリー・アンダーソン、シルヴィア・アンダーソン

■解説■

天才ブレインズ新考案の航空機は、優雅に空を行く飛行船『スカイシップ1』だった。スリルやスピードばかり追わず、未来へ未来へ、速く速くではなく、一度航空史の原点に戻ってみよう、とする彼の提案は、航空機会社の重役たちの失笑を買う。しかしそれは反重力装置で空を飛ぶ豪華客船として21世紀の空に実現した。だが陰謀団の策略により国際救助隊はおびき出され、『スカイシップ1』はミサイル基地の鉄塔の上で落下寸前となってしまう。そのスカイシップには、ジェット噴射で滞空するサンダーバード1号もサンダーバード2号も近づけない。その時、飛来して人々を救ったのはアランの複葉機タイガーモスだった。いくら依頼されても完成できなかったサンダーバード6号のヒントは、彼が夢想していた過去への回帰にあったのだ。軽量で小さく風に乗って飛ぶ布張りの複葉機こそ、サンダーバードに欠けていたものだと知った時、時代遅れの複葉機が栄誉あるサンダーバード6号の名を拝されたのだ。

飛行船と複葉機という航空史の起点にある1900年代のガジェットを使い、そろそろ過去を顧みよう、という提案は正にサンダーバードの幕引きには最高のラストフライトだった。

▶劇場公開時の東北新社によるパンフレット。どう見ても中央のスカイシップ1がサンダーバード6号に思える配置。というか表紙でもサンダーバード6号はヒミツとなっている。

▶劇場公開時のパンフレット。声の出演はレディ・ペネロープは黒柳徹子で、TVシリーズとほぼ同じ。劇中ではブラックゴースト団とされていたがここではフード（フッド）と表記。

最後に――サンダーバード研究家・伊藤秀明

最後に、本文にたびたび登場するサンダーバード研究家の伊藤秀明氏について書いておこう。彼とはたくさんサンダーバード関連の書籍を作らせていただいた。たいてい私が企画して伊藤氏を誘うかたちで参加していただいたのだが、彼は止めないといつまでも図面を描き、文章を書き、仕事が終わることが無かった。そして間違いなく日本一のサンダーバード・関連商品のコレクターだった。1966（昭和41）年以降のほぼすべての日本におけるサンダーバードのライセンス商品を収集した、そのコレクションは尋常ではなく、当時後楽園近くにあった文字どおりの“秘密基地”に足を踏み入れた筆者は息をのんだ。

窓という窓にはカーテンが引かれ、直射日光を避けた部屋はいつでも薄暗く、すべての空間はサンダーバード関連商品のカートンで埋め尽くされていた。コレクションの極めつけは、60年代のサンダーバード2号を象ったパッケージ入りのお菓子である。もちろん中身もそのままだった。

盗難などを警戒し、「所在地は誰にも言わないでくれ」と言われたのが印象的だ。最後にお会いしたのはいつだったか思い出せないが、その時、サンダーバード商品の研究には一区切りが付いたとして、今後は「イマイのスケールモデルの本を作りたい」と言っていた。そんなことを考える者は他にはいないだろうし、そんな本があったらぜひとも欲しい。イマイはプラモメーカーとして発足して以来、膨大な数のスケールモデル

も作って来たが、それを一堂に紹介した書籍は存在しないからだ。イマイの極初期の商品群には旧日本海軍の戦艦類が多い。そのため「僕は戦艦には詳しくないので、今、旧日本海軍の戦艦について調べ始めている」と言う！ ああ、このスタンスだと6年くらい待っていると『今井科学のスケールプラモ全集』という、物凄い本が出来てくるのかと、心の底から心待ちにしていたが、伊藤氏の突然の他界でそれは叶わない夢となってしまった。

しかし、私の知る限りでは、日本において「サンダーバードのプラモデル」をほぼ全種類集めたツワモノは4人ほどおられるだろうか。流石に私は旧イマイ、中期以降を少しばかり収集した程度で、無謀な夢はあっさり断念した。それでもふとネットを検索していて、あの時作った関連商品に目が留まると、「これは仕事に必要なのだ…」と言い聞かせて、当時の売価の100倍ほどとなった中古品に手を出しそうになってしまう。しかしそれは言い訳で、実はそれらは仕事の資料などではなく、完全に憧憬のパズルの一部なのだ。だが、同時にこんな意見もある。

最後に伊藤氏の残した名セリフを敷いて終わることにしよう。

――絶版プラモは、タイムマシーンを作って当時に買いに行くことを考えれば、幾ら高くても高すぎるということはない――

悪魔の囁きのような……名言である。

あとがき

2021年は『サンダーバード55周年』とされ、関連アイテムやコンサートなども企画されている。1992年の25周年ブーム再燃時、書籍やホビーの企画など沢山の企画を作らせていただいたが、その際、「サンダーバードもすでに25周年か、きっとサンダーバード関連の仕事に関わらせていただくのもこれが最後かもしれない」…と感じたことを覚えている。しかしそれから30年が経過した現在も、サンダーバードは現行作品たちに負けない支持を集め、新商品が流通を続けている。

ならば今しかない、としてこのような書籍を企画したのだが、正直、すでに伊藤秀明氏や、または私も含めたサンダーバード好きが作って来た書籍などの『良いとこ取り』的なダイジェスト本、と言うのが本当のところだ。ただその過去の書籍たちはもう手に入らない。まあデジタル化でもされれば別だが、その公算は限りなく低いだろうからこのような本の存在意義もあると思う。『サンダーバード』という作品は、特撮シーンは模型、本来は人間が演じる部分も1/3サイズのパペット、言わば模型であって、つまり全カットが模型で再現されている、“全編が模型”という異端の作品で、がゆえにプラモデルとは信じられないほどの親和性を持つ。しかもパペットを使って映画的なドラマを作ろうとする、という行為は、冷静に考えてもパラドクスであり、しかもその執着が半端ではないのだ。

これはもしかすると模型やプラモデルに執着した経

験がある者とそうでない者との間では、作品の見え方に大変な格差があるのかもしれない。よくパロディの対象と成る時、演者たちは口に人形然とした分割線を描くが、『サンダーバード』のパペットたちの口には分割線などは無い。製作者たちは口の分割線を消すための素材を求め、コンドームまでを試し、眼球は義眼製作者に依頼していたという。模型だけで映画を作る、というパラドクスと同時にロマンは、机の上にプラモデルを作りディオラマを作る行為と似ている。

この本を手に取る読者の中には、プラモデルを作ったことがない、とする方はおられないのかもしれないが、もしもおられたのなら、一度『サンダーバード』のプラモデルを作り、塗装し、スチール写真やＤＶＤ、ブルーレイなどを参考に汚し塗装をされてみるといいかもしれない。そのあとで観る『サンダーバード』には、恐らく新しい発見と興奮が加えられているはずだ。普通に作り、普通に撮影しても、あの作中のようなカットは生まれない、ということにも、気が付かれるかもしれない。それはなぜなのか、その解説となると、書籍一冊分ほどとなるので、また機会を改めるとして、今回は懐かしいプラモのご紹介に留めよう。

柿沼秀樹

■参考文献リスト

●『サンダーバードプラモパーフェクトカタログ』
伊藤秀明／著
ラポート(株)

●『サンダーバードプラモ＆玩具博物館』
伊藤秀明／著
(株)ケイエスエス

●『今井科学キャラクタープラモ全集』
伊藤秀明／著
(株)学研パブリッシング

●『サンダーバードプラモ大全』
伊藤秀明●柿沼秀樹／著
(株)双葉社

●『サンダーバード・メカニックファイル』
伊藤秀明●柿沼秀樹／著·編
(株)双葉社

●『日本プラモデル興亡史』
わたしの模型人生
井田博／著
(株)文春ネスコ

●『田宮模型の仕事』
木製モデルからミニ四駆まで
田宮俊作／著
ネスコ

●『静岡模型全史』
　50人の証言でつづる木製模型からプラモデルの歴史
静岡模型教材協同組合／著
(株) 文藝春秋

●『小松崎茂画集』
柿沼秀樹／著·編
(株) トイズワークス

●『バンダイプラモ年代史』
柿沼秀樹●加藤智／著
(株) 学習研究社

●『マルサン物語 玩具黄金時代伝説』
神永英司／著
朝日新聞出版

■協力

(株) 青島文化教材社
(株) BANDAI SPIRITS ホビーディビジョン
(株) 銀英社
デアゴスティーニ・ジャパン (株)

荒田茂
渡辺繁
二宮茂樹
石田典生
山口洋平
どろぼうひげ

敬称略

著者紹介

柿沼秀樹

1958年東京生まれ。
1980年から月刊ホビージャパンの編集に参加。
別冊『HOW TO BUILD GUNDAM』1.2巻を企画・編集。模型雑誌『モデルグラフィックス』『電撃ホビーマガジン』などでも連載を持つ。1984年からはTV アニメ『機甲創世記モスピーダ』(タツノコプロ)、OVA『メガゾーン23』(ビクター)などのメカデザイン。OVA『GALL FORCE』(SVI、ムービック)シリーズ、『デトネイター・オーガン』(ユニバーサル)シリーズなどの原作、脚本、演出多数。
1988年よりライトノベルを執筆。その他『サンダーバード』『謎の円盤UFO』などのマニア研究本などの執筆多数。2000年以降は玩具、ホビー商品の企画、製作。アニメ、ゲームなどの企画、演出、絵コンテ作業を主業務とする。また、モデラーであり昭和プラモの収集も行う。近著に月刊ホビージャパンでの連載をまとめた『20世紀「模型」少年雑記録』(小社刊)がある。

サンダーバード プラモ伝説 1966↔2021

■STAFF

著者／柿沼秀樹

デザイン／小林正明(イーズ)

協力／ITV STUDIOS GLOBAL ENTERTAINMENT E.V.
株式会社 東北新社
株式会社 青島文化教材社
株式会社 BANDAI SPIRITS ホビーディビジョン
株式会社 銀英社
株式会社 デアゴスティーニ・ジャパン
荒田茂
渡辺繁
二宮茂樹
石田典生
山口洋平
どろぼうひげ

編集／舟戸康哲

サンダーバード プラモ伝説 1966-2021

2022年2月28日　初版発行

編集人／星野孝太
発行人／松下大介
発行所／株式会社ホビージャパン
〒151-0053 東京都渋谷区代々木 2-15-8
TEL 03-5304-7601 (編集)
TEL 03-5304-9112 (営業)
印刷所／大日本印刷株式会社

Printed in Japan
ISBN978-4-7986-2693-2 C0076